Lutineries à la rescousse

Isabelle Meeks

Loi n°49-956 du 16 juillet 1949 sur les publications destinées à la jeunesse, modifiée par la loi n°2011-525 du 17 mai 2011.

© Isabelle Meeks

Édition : Books on Demand,

12/14 rond-Point des Champs-Elysées, 75008 Paris

Impression : BoD - Books on Demand, Norderstedt, Allemagne

ISBN 9782322242818

Dépôt légal : Septembre 2020

PRÉFACE

Le manichéisme nous structure, particulièrement ce bien qui triomphe du mal après une lutte farouche, abandonnée au profit de la sérénité. Long chemin parcouru par le Candide de Voltaire qui finit par vivre heureux en cultivant son jardin.

Rien n'est donné dans le Monde d'Isabelle. Tout s'acquiert par l'épreuve, le travail, les valeurs humaines. Mais on y est rarement seul. L'ombre parentale plane et vous accompagne : la bonne, incarnée dans les fées qui volent à votre secours, et la mauvaise dans les sorcières. Ne nous y trompons pas, aucun parent n'est parfait, sinon l'enfant ne serait pas armé pour la vie…

Ce livre raconte les mésaventures rencontrées ; elles sont combattues, dépassées et l'optimisme est au bout du chemin. Il nous montre combien nous avons tous besoin les uns des autres, même sans se l'avouer.

L'oiseau égaré, celui qui s'imagine voler plus haut et plus vite, est rapidement dénoncé dans ses prétentions, ramené au bercail après une leçon qui remet chacun à sa place. Car le Monde d'Isabelle est ordonné, règlementé afin que chacun interfère harmonieusement avec autrui et avant tout se nourrisse de ces liens.

Nous rêvons tous d'un monde égalitaire, juste, où la douleur s'oublie, le malheur se répare, la peine se console, la violence se pardonne et l'amour ou l'amitié sont acceptées comme un cadeau des Dieux.

L'adulte apprend, non sans désillusion, que ce monde ne peut exister. Mais rien n'empêche le rêve ! Et ce recueil, par ses petites fables débordantes d'humanité, guide en douceur l'enfant vers l'âge adulte et pourquoi pas, permet à l'adulte de s'attarder dans l'enfance, sans aigreur ni nostalgie.

Un livre vivant qui donne courage et raison, qui exhorte l'expérience et permet d'avancer, sans ces regrets qui figent les désirs et inhibent l'action, ni épanchements inutiles sur les difficultés, nécessaires pour habiter sa vie à tous les stades de sa progression.

Ces petites histoires vous donnent en partage les acquis de l'auteur, loin d'un prosélytisme ennuyeux, pour accompagner chacun au mieux et aider à atténuer les blessures inévitables de la vie.

Un régal de situations loufoques et variées qui vous font sourire avec tendresse et émotion.

Docteur N. Ruyer

Sommaire

A ma guirlande de nièces, Joëlle, Noëlle, Adeline et Monique,
Et mes deux muses, Chloé et Annabelle…

Avec toute mon affection.

Merci à mon mari Scott pour son soutien indéfectible qui a rendu possible la naissance de ce recueil.

Merci aussi au Dr Ruyer dont l'enthousiasme et la persuasion m'ont amené à publier mes écrits.

Les histoires qui suivent sont inspirées de situations réelles et de traits de caractères courants. Une ressemblance avec des personnes existantes ou ayant existé est fort possible, mais les noms propres sortent tout droit de mon imagination, les personnalités ont été mélangées, et le déroulement des faits a quelque peu été arrangé.

I.M.

Des sorcières méconnues

Il y a très longtemps, tellement longtemps qu'on ne sait plus vraiment ni quand, ni où ça s'est passé, il y a eu une terrible bataille entre les fées et les sorcières. Et les fées ont gagné, mais de justesse. On a eu très peur, il s'en est fallu d'un cheveu pour que ce soit les vilaines sorcières.

Comme récompense à leur victoire, les fées ont eu le droit de diminuer le pouvoir de la moitié des sorcières pour les rendre à peu près inoffensives. Elles pourraient faire des mauvaises blagues, elles auraient le droit de faire des transformations mais de courte durée, et chaque méchanceté devrait servir une bonne cause. On les baptisa les Sorcigentières*. Bien sûr, comme tous les petits personnages aux pouvoirs magiques, elles seraient invisibles et pourraient intervenir soit de leur propre initiative soit en étant appelées par une formule spéciale, que seuls les enfants connaissent : « Agabatur Ruob Manipot » !

Pas facile à retenir évidemment, sinon on serait tenté de les appeler à tout bout de champ. Comme il y en a beaucoup, je ne vais pas toutes les présenter, mais seulement les principales qu'on rencontrera dans les histoires de ce recueil. Il y a Fouillassonne, qui adore inverser ou transformer un tas de choses ; Bisbille, qui sème la zizanie entre les gens ; Malypense, la spécialiste des anicroches ; Escagasse, qui tient à mettre de la poésie partout et donc énerve les autres en se mêlant de leurs affaires, et Greluche, simple d'esprit qui passe son temps à dormir. D'ailleurs, le sortilège qu'elle préfère utiliser, c'est d'endormir ou de pétrifier pour un temps, une personne ou un animal. Voilà donc une partie du petit peuple invisible qui accompagnera tous nos héros dans leur quotidien.

* Sorcigentières : mot-valise pour Sorcières gentilles

Une famille qui dérange

La famille Mélimélov est un peu spéciale. Sergueï, le papa, est originaire d'Ukraine. Venu très jeune à Paris pour faire ses études, il est devenu avocat. Rebecca, la maman, fille unique de parents américains établis en France, est devenue décoratrice d'intérieur. Ils se sont rencontrés à l'occasion d'une crémaillère chez un client commun, et se sont tout de suite plus. Ils se sont fréquentés un certain temps, puis se sont mariés. Mais quelques années après leur mariage, ils ont découvert qu'ils ne pourraient avoir d'enfants.

Déçus mais pas désespérés, ils ont longuement discuté et réfléchi, et ont choisi d'un commun accord d'adopter plusieurs enfants de pays étrangers, afin de former une famille cosmopolite. Après de longues et difficiles démarches, ils ont réussi à exaucer leurs rêves. Ils ont été en Inde, où ils ont craqué pour un petit garçon de 2 ans qui s'appelait Sayam, ce qui veut dire le soir. Puis quelques années plus tard au Pérou, où ils se sont laissés séduire par une petite Miranda de moins d'un an. Et enfin ils sont allés en Ethiopie, d'où ils sont revenus avec un autre garçon du même âge que Miranda, Walid, ce qui veut dire le fils.

Sayam avait une peau soyeuse, couleur ébène, des yeux tout aussi foncés, et de magnifiques cheveux noirs ondulés. Il avait un sourire éclatant, et beaucoup d'humour, mais son apparence était très sérieuse et impassible. Ravi d'avoir enfin un frère et une sœur avec lesquels il pourrait jouer, il adopta très rapidement une attitude protectrice et responsable à leur égard, étant de 5 ans leur aîné.

Miranda avait un visage tout rond, un teint de brique qui lui donnait toujours bonne mine, des yeux bruns en amande, et de longs cheveux bruns tout lisses. Elle était à la fois très polissonne et très sensible. Il suffisait de peu de choses pour la faire rire ou pour la faire pleurer.

Quant à Walid, c'était le casse-cou de la famille. Il avait un visage très sculpté aux pommettes saillantes, la peau caramel et les yeux noisette, et de courts cheveux châtains frisés. Grand pour son âge et plutôt costaud, personne à l'école n'osait venir l'embêter.

Avec beaucoup d'amour et des trésors de patience, Rebecca et Sergueï les ont aidés à s'intégrer à leur nouveau pays, à surmonter les difficultés de la langue et des études, et surtout à s'accepter entre eux comme frères et sœur. Quand ils voyaient le résultat de leurs efforts, ils se sentaient chanceux, et largement récompensés. Oh ! Bien sûr, tout n'était pas rose, et il y avait souvent deux des enfants qui s'entendaient contre le troisième, mais comme ça changeait souvent, les parents n'étaient pas inquiets. Ils ont donc grandi dans un foyer où la différence ne comptait pas, où la tolérance était préalable à tout, et la solidarité de mise.

Un jour cependant, examinant leur situation domestique et professionnelle, Rebecca et Sergueï ont décidé que ça leur ferait du bien à tous d'aller vivre à la campagne, puisque leur métier leur permettait de travailler souvent à domicile. Ils pensaient qu'une maison plus grande, davantage de nature et surtout moins de transport, leur serait bénéfiques à tous. On était à la veille de l'entrée au lycée pour Sayam, et au collège pour Walid et Miranda. Comme ils avaient passé de nombreuses vacances en Provence, et que le TGV leur permettait de joindre Paris en quelques heures, ils choisirent un village méconnu dans l'arrière-pays. Ils y ont trouvé une belle maison sur deux niveaux, avec assez de pièces pour que les enfants aient chacun leur chambre, et les parents chacun leur bureau. Serguëi s'occupa du déménagement, et Rebecca de toutes les démarches administratives comme de l'inscription des enfants pour la rentrée scolaire. Fin août, tout était prêt, les Mélimélov n'avaient plus qu'à emménager et commencer leur nouvelle vie.

Seulement il y avait une chose à laquelle ils n'avaient pas pensé, c'est que si les enfants se fondaient dans la diversité parisienne, ils dénotaient complètement dans un petit village qui n'avait guère été exposé à des étrangers. Et malheureusement, les gens se méfient souvent de ce qu'ils ne connaissent pas.

Alors les mauvaises langues allaient bon train. On entendait des commentaires du genre :

— Dites, vous connaissez les Mélimélov ? Vous avez vu comme les enfants ne ressemblent pas aux parents ? Sûrement que c'est pas les leurs !

— Et la petite, avec ses yeux bridés, c'est quoi, une chinoise ?

Et les garçons alors, ils sont arabes ou africains ?

— Je sais pas, mais c'est sûr qu'ils sont pas du coin. Je me demande d'où ils viennent !

C'était très perspicace ça comme commentaire ! Il avait dû falloir beaucoup de réflexion pour en arriver à ces conclusions ! Ou encore :

— Vous avez vu l'aîné ? Celui qui a un nom bizarre ? Je vous parie que c'est de la graine de voyou et qu'on va rapidement entendre parler de lui.

— Oh ! L'autre c'est pas mieux, on dirait un provocateur et un bagarreur. Sûr qu'il va nous causer des ennuis aussi !

Les parents ont commencé à s'apercevoir que quelque chose n'allait pas quand l'un ou l'autre entrait dans un magasin et que les conversations cessaient subitement. Ou quand on évitait de les regarder en face et qu'ils entendaient des chuchotements dans leur dos. A l'école, les trois enfants essuyaient moqueries, quolibets et remarques désagréables. Sayam le prenait de haut, car il savait bien que dans le fond, personne ne leur voulait du mal. Mais il supportait mal de voir Miranda et Walid en souffrir. Aussi il en parla à ses parents, qui réunirent toute la famille pour leur expliquer qu'il ne fallait pas en tenir compte, ne surtout pas être insolent, et continuer quoiqu'il arrive à rester aimables et polis. Selon eux, les gens se lasseraient vite et finiraient par laisser tomber ce qui était une nouvelle source de commérage et perturbait leur routine quotidienne.

Le fait est que personne n'avait de réel motif de se plaindre des Mélimélov. Les parents préféraient faire leurs courses au village plutôt que dans les grandes surfaces éloignées, les enfants suivaient bien les cours sans être ni plus ni moins brillants que les autres, ils étaient toujours très polis et à ce jour aucun incident n'avait encore été noté. Mais, malheureusement, les préjugés sont un peu comme des cafards, une fois qu'ils trouvent une faiblesse dans une maison, ils y pénètrent, s'y installent et deviennent difficiles à déloger.

Alors Sayam décida de donner une petite leçon aux chauvins du village. Bien que ce n'était plus vraiment de son âge, il se souvenait encore de la formule magique pour appeler les Sorcigentières, et n'hésita pas à s'en servir.

— Agabatur Ruob Manipot, dit-il un matin chemin de l'école.

Il entendit :

— Rutabaga, Topinambour, mon sang ne fait qu'un tour, je vole à ton secours. Je suis Fouillassonne, que puis-je faire pour toi ?

Sayam lui exposa son souci, et lui demanda s'il était possible de changer l'apparence de certaines personnes du village, pendant quelques jours.

— Mais certainement, je m'en occupe de ce pas, lui répondit-elle

Sayam était au lycée quand les transformations eurent lieu, mais il riait d'avance de ses manigances. Fouillassonne commença par la charcutière, Madame Destranches, à qui elle donna un teint verdâtre et malsain. Puis elle alla chez le boucher, Monsieur Filetmignon, qu'elle rendit jaune et maladif. La postière, Madame Cacheter, y eut droit aussi, et quand elle se vit par hasard dans le miroir, elle se découvrit un visage gris terreux. Quant au Pharmacien, Monsieur Toussoins, il devint violacé comme s'il passait ses journées à boire. Tout ce monde qui n'avait pas arrêté de critiquer les nouveaux du village, se trouvait bien embarrassé, ne comprenant pas ce qu'il leur arrivait.

Et les réactions des clients ne se firent pas attendre :

— Bah ! Madame Destranches, qu'est-ce qui vous arrive ? Vous avez l'air malade, vous devriez aller vous coucher !

— Oh ! Monsieur Filetmignon, vous devriez allez voir le docteur, on dirait que vous nous faites une hépatite !

C'est qu'on craignait un peu pour la qualité de la marchandise, des fois que ce soit contagieux ! A la poste, Madame Cacheter faisait si peur à voir qu'on n'y discutait plus aussi longtemps qu'avant, et à la Pharmacie, on craignait que Monsieur Toussoins ne se trompe dans les ordonnances. Comme quoi, les complices d'hier devenaient les suspects du jour ! Le sujet favori des habitants se détourna tout naturellement de la famille Mélimélov pour se reporter sur les commerçants, qui commençaient à perdre des clients et à s'inquiéter sérieusement.

De leur côté, Rebecca et Serguëi n'avaient pas changé d'un iota. Ils continuaient à faire leurs achats dans les mêmes magasins, et restaient aimables sans jouer les curieux, pensant qu'il s'agissait là d'une coïncidence passagère. Miranda et Walid, évitèrent d'en parler à l'école, trop contents de voir qu'on les oubliait un peu. Mais Sayam prenait un malin plaisir à demander des nouvelles de la santé de tout le monde, avec ce ton courtois qui ne le quittait jamais, et avait le don d'agacer étant donné les circonstances. Plusieurs jours se passèrent ainsi avant que les habitants ne se défassent de leur méfiance comme d'un habit malpropre, ce qui permit à Fouillassonne de redonner leur couleur naturelle à ses victimes.

Pendant ce temps, Sergueï avait défendu avec brio un notable du village dans une vilaine histoire d'héritage, lui obtenant ce qui lui revenait de droit. Ce client, qui avait beaucoup d'influence dans la région, s'empressa de faire les louanges de Sergueï à qui voulait les entendre.

Rebecca de son côté, offrait gratuitement des cours d'anglais de rattrapage aux enfants de tous âges, ce qui permit de faire remonter la moyenne scolaire à la plus grande satisfaction des parents. Et Sayam, particulièrement doué pour les échecs, avait créé un club pour ceux qui s'y intéressaient, et commençait à avoir du succès.

Sans s'en rendre compte, les villageois commençaient à accepter les Mélimélov comme étant des leurs. Certes, il avait fallu presque une année scolaire pour qu'ils soient totalement intégrés, mais le Maire, qui n'était autre que Monsieur Toussoins, se permit d'ajouter dans la revue mensuelle locale, une petite note personnelle pour remercier les Mélimélov de leur contribution à la vie de la communauté. Et les habitants furent forcés d'admettre que leurs critiques initiales n'étaient pas fondées, et qu'ils s'étaient enrichis au contact de cette famille peu ordinaire.

Des apparences trompeuses

 Leila est une mère célibataire, qui élève seule sa petite fille, avec de modestes revenus de couturière. Ce n'est pas toujours facile, car Aïcha, 9 ans, a eu une jambe mal formée à la naissance qui la fait boiter et la rend timide et réservée. Et comme elle ne sait pas se défendre et qu'elle est incapable de faire du mal à une mouche, souvent elle rentre de l'école en larmes après y avoir subi les moqueries de certains enfants.

Pourtant, Aïcha est douée, elle travaille bien, elle est sérieuse, et elle met tout son cœur à ses études, d'autant plus qu'elle ne peut pas participer aux sports ou aux jeux de ses camarades dans la cour de l'école.

Il y a en particulier un petit garçon qu'elle craint par-dessus tout, François, qui est véritablement odieux avec elle. Il la provoque, l'embête jusqu'à la faire pleurer, et semble prendre un malin plaisir à la voir malheureuse. D'ailleurs, il est méchant avec tout le monde, et mauvais élève de surcroît. Sous prétexte qu'il est plus grand que les autres, et que ses parents lui achètent tout ce qu'il veut, il est très prétentieux. Et forcément, il est toujours tout seul car personne ne l'aime et n'a envie de jouer avec lui.

Un jour, pendant la récréation, Aïcha faisait l'arbitre dans une partie de ballon, ce qui lui convenait tout à fait vu son état. Mais lorsqu'elle a déclaré « faute » à un coup d'envoi de François, celui-ci s'est mis en colère. Il a couru vers elle, l'a bousculée pour la faire tomber, et l'a insultée :

– Pauvre infirme va, même pas capable de tenir sur tes jambes et tu crois pouvoir me juger ?!

Aïcha est retournée en salle de classe en pleurant, blessée davantage dans son amour propre que par sa chute. Caroline, l'institutrice, lui demanda ce qu'il s'était passé. Après l'avoir bien écoutée et consolée, elle dit à la petite fille qu'elle aimerait bien parler avec sa maman quand elle l'amènerait à l'école le lendemain. Le cours continua sans qu'elle fasse mention de l'incident.

Le jour suivant, comme convenu, Leila chercha l'institutrice pour discuter du problème de sa fille et de ce vilain garçon. Caroline lui posa beaucoup de questions et surtout, elle chercha à savoir si Aïcha avait un talent particulier qui ne se serait pas encore vu à l'école. Surprise, Leila lui répondit que sa fille était passionnée de magie, et même assez douée pour faire des tours de cartes, et pour jongler. Caroline remercia la maman d'Aïcha, et lui promit de régler le problème. Elle venait d'avoir une idée pour remettre François à sa place. Elle allait monter un spectacle de magie avec tous les enfants de sa classe, confiante après ce qu'elle venait d'entendre qu'Aïcha serait la vedette. A chacun, elle apprit un truc différent. François, comme toujours, était désagréable et n'arrêtait pas de critiquer les autres. Caroline lui confia un tour comme à tous les enfants, assez simple cependant, mais ne dit rien de plus.

Vint le jour de la représentation. Tous les parents étaient assis face à l'estrade où on avait mis quelques accessoires indispensables. Une table, des bols, un jeu de cartes, un chapeau noir, des foulards et des pièces de monnaie. Les enfants passèrent un à un pour montrer leur nouveau savoir. Bon public, les adultes applaudissaient à chaque fois pour les encourager, même les plus maladroits. Dans les coulisses, Aïcha avait tellement le trac qu'elle en tremblait. Elle avait peur de tout rater. C'est qu'elle n'avait jamais fait de magie devant un public, à part sa maman.

Elle qui ne croyait pas vraiment aux fées et aux sorcières, elle se surprit à prononcer tout bas la formule qu'elle avait trouvée dans un livre de sorcellerie.

— Agabatur, Ruob Manipot

Dans la seconde, la Sorcigentière Malypense atterrit sur son épaule :

— Rutabaga, Topinambour, mon sang ne fait qu'un tour, je vole à ton secours.

— Que puis-je faire pour toi petite Aïcha ? demanda-t-elle.

Surprise de voir que la formule marchait et d'entendre ce petit murmure dans son oreille, Aïcha demanda timidement à la Sorcigentière de faire en sorte qu'elle réussisse tous ses tours de magie.

Malypense se dit qu'elle était bien modeste cette petite fille, et qu'en plus de lui accorder cette faveur, elle se devait d'infliger une leçon d'humilité à ce vilain François. Elle appela aussitôt Fouillassonne, et toutes deux se mirent à comploter.

Quand vint le tour de François, il devait manipuler trois bols retournés à l'envers, avec une pièce de monnaie cachée sous l'un d'eux, les intervertir rapidement mais de manière à ne jamais perdre la pièce. Alors Malypense s'amusa comme une folle à le rendre lent et pataud et Fouillassonne s'arrangea pour que la pièce ne soit jamais où il devait la trouver. Cela en était risible. Le pauvre François devint si ridicule qu'il partit se cacher derrière le rideau avant la fin de son tour. Dans la salle, pour une fois, il n'y eut point d'applaudissement, c'était le silence total. François était vexé, et rouge de colère contre lui-même.

Enfin ce fut le tour d'Aïcha, que Caroline avait réservé pour la finale. Elle commença par un numéro de cartes. Assise sur une chaise devant le petit bureau, très concentrée, elle les battait et les manipulait tellement rapidement que personne n'arrivait à comprendre comment elle sortait toujours la bonne carte. Les parents étaient subjugués. Ses tours de cartes terminés, elle se leva, et salua son public. Dans son petit costume taillé par sa maman, pantalon et veste gris perle avec une chemise blanche et un nœud papillon argenté, Aïcha avait fière allure. Elle entama un nouveau tour. Il s'agissait de jongler, d'abord avec trois balles. Ensuite avec quatre quilles, puis cinq, puis six. Elle n'en fit jamais tomber une seule, les adultes n'en croyaient pas leurs yeux.

On entendait quelques commentaires comme « quelle adresse ! » « Cette enfant est vraiment douée ! » ou encore « elle est formidable ! ». Aïcha était rose de plaisir.

Puis ce fut le clou du spectacle. Aïcha montrait ses mains vides, les refermaient, en sortait un foulard jaune, le cachait dans son petit poing serré, en ressortait un bleu, puis un rose, et un vert, et un rouge, pour finalement faire voler au-dessus d'elle une ribambelle de foulards attachés. Escagasse, qui passait par-là par hasard, se sentit obligée d'y ajouter une touche personnelle. Et tout à coup, les foulards se dénouèrent tout seuls, et se transformèrent en oiseaux multicolores qui voltigèrent quelques minutes autour d'Aïcha avant de retomber mollement sur le sol comme de simples foulards. La petite fille aurait bien été incapable d'expliquer ce tour qu'elle n'avait jamais fait, mais elle soupçonna une intervention des Sorcigentières.

D'ailleurs, Malypense gronda Escagasse qui en faisait beaucoup trop comme d'habitude, car elle craignait que les parents ne se doutent de quelque chose.

Mais c'était si joli, si réussi et extraordinaire, que les parents crièrent leur enthousiasme. Aïcha fit une révérence devant tout le monde, puis partit vite retrouver sa maman, tout intimidée par son succès.

Les parents vinrent alors remercier Caroline pour avoir organisé ce spectacle, et surtout pour complimenter Aïcha, indiscutablement la plus douée de sa classe. En retrait derrière les autres enfants, François ne perdait pas une miette de ce qui se disait, et il savait qu'ils avaient raison.

Quant à l'avouer, c'était une autre histoire !

Cependant, après cette soirée mémorable, il commença à changer de comportement avec Aïcha, il cessa de la bousculer et de l'insulter. Un jour, il eut même le courage de lui demander si elle voulait bien lui expliquer un de ses tours. Aïcha sourit. Elle lui dit, sur un ton ironique :

– Alors maintenant, tu penses qu'une infirme peut t'apprendre quelque chose ?

Il bougonna des excuses inintelligibles et opina de la tête. Aïcha qui avait bon cœur lui montra un de ses tours de cartes, patiemment, jusqu'à ce qu'il arrive à le faire correctement. Mais ce fut le seul. Une magicienne ne peut dévoiler tous ses secrets !

De ce jour, François la traita avec respect, et commença à s'intéresser à ses petits camarades, à leur parler plus gentiment, sans se moquer. Et comme les enfants ne sont pas rancuniers, il arriva même à se faire quelques amis !

Un dimanche surprenant

José et Maria étaient heureux. Cela n'avait pas toujours été le cas. Quelques années avant leur rencontre, José était marié, mais sa femme avait été emportée par une maladie, et il s'était retrouvé seul à élever Paquita, sa fille de 8 ans. Maria, elle, avait été abandonnée par son compagnon alors qu'ils avaient eu ensemble un petit garçon. Pedro était maintenant âgé de 6 ans, et depuis le mariage de sa maman avec José, il avait gagné une sœur, à son grand bonheur. Paquita par contre, était parfois jalouse de ne plus être le centre d'attention de son Papa, mais elle aimait beaucoup son nouveau petit frère.

Dans l'ensemble, on pouvait donc dire que cette famille recomposée fonctionnait bien, même si, comme dans toutes les familles, il y avait les bons jours et les mauvais jours. Ce week-end avait bien commencé. Le soleil étant de la partie, les enfants avaient pu jouer dehors toute la journée. Quand tout à coup, après dîner, pour un jouet que José avait offert à Paquita et qu'elle ne voulait pas prêter à son petit frère, ils se mirent à se disputer, et à s'échanger de vilaines phrases. Bisbille avait dû passer par-là ! Cette Sorcigentière adorait créer des conflits.

Les parents les firent venir dans le salon pour savoir ce qui n'allait pas. Chacun des enfants raconta l'histoire à sa façon, en rejetant la faute sur l'autre bien sûr. Maria ne dit rien, mais José tira l'oreille de sa fille tout en la sermonnant :

— Il me semble que tu es assez grande pour savoir partager. Tu ne t'es pas bien conduite avec Pedro. Allez, mettez-vous en pyjama et allez vous coucher, il est grand temps de toute façon.

Une fois au lit, après le dernier baiser des parents et la lumière éteinte, ils continuèrent à se disputer.

— Tu vois, Papa est gentil mais toi t'es méchante, ne put s'empêcher de dire Pedro

—Pleurnicheur et Rapporteur, voilà ce que tu es, répondit Paquita

— M'en fiche, c'est Papa qui l'a dit, t'as bien entendu ?

— Oui j'ai entendu ! Et tu veux que je te dise ? Papa, c'est MON Papa d'abord ! Tu vas arrêter de m'embêter maintenant ?

— Alors là, c'est la plus méchante des méchancetés ce que tu viens d'dire. Puisque tu le prends comme ça, je te prêterais plus ma maman, dit Pedro, les larmes aux yeux.

Sur ce, ils n'échangèrent plus un mot. Greluche, qui n'aimait pas voir des enfants chagrinés, choisit la facilité et les fit s'endormir rapidement.

Fouillassonne, qui avait assisté plus d'une fois à ce genre de disputes, décida d'y mettre son grain de sel. Durant leur sommeil, elle inversa les deux têtes et les deux corps des parents, pour un temps limité.

Au réveil, quand ils mirent chacun le pied par terre et se retournèrent pour se parler, ils se crurent en plein cauchemar. Maria avait le corps et le bas de pyjama de son mari, et José le corps et la courte chemise de nuit de sa femme. Ou était-ce l'inverse ?!

Ils se déplacèrent ensemble devant leur grand miroir et se frottèrent les yeux plusieurs fois.

— Ce n'est pas possible ! S'écrièrent-ils de concert

— Que nous arrive-t-il ? dit la mère. Nous ne pourrons plus jamais sortir de cette maison ! Et que vont dire les enfants ?

— Misère ! dit le père. Comment vais-je pouvoir aller travailler lundi ?

Fouillassonne qui observait la scène, se tenait les côtes de rire. Il faut dire que le spectacle en valait la peine ! Ce moustachu en nuisette et cette belle brune en pantalon de pyjama, torse nu et poilu de surcroît, c'était du plus haut comique !

Réveillés par les exclamations des parents, Pedro et Paquita entrèrent subitement dans la chambre …

Silence complet ! Ebahis, éberlués, abasourdis, les deux enfants n'arrivaient ni à croire ni à comprendre ce qu'ils voyaient. Ils demandèrent :

— Papa, il est où ?

Les deux répondirent en chœur :

— C'est moi !

— Et Maman, je veux ma Maman ?

Même réponse à deux voix !

Paquita, un peu plus futée que son frère parce que plus âgée, ne pouvait s'empêcher de penser que c'était une punition pour ce qu'elle avait dit la veille. Elle espéra qu'avec des excuses, les choses redeviendraient peut-être normales.

— Pedro, je te demande pardon pour ce que je t'ai dit hier soir. Papa, Maman, on vous aime tous les deux très forts, vous êtes nos parents à tous les deux, alors s'il vous plaît, arrêtez la blague !

— Hum, hum, toussota l'un d'eux. C'est que, voyez-vous, nous ne sommes pas responsables de ce qui nous arrive, et je ne sais absolument pas comment annuler ce changement.

— Voyons, dit l'autre, et si nous prenions d'abord notre petit déjeuner, puis nous réfléchirons entre parents à ce que nous allons faire de cette … situation nouvelle et euh … inattendue.

— Bonne idée, s'écrièrent les enfants qui avaient le sens des priorités.

Les voici partis pour la cuisine. Paquita et Pedro s'installent sur leurs tabourets respectifs, et se mettent en gloussant à observer le rituel du petit déjeuner quelque peu bouleversé. Pedro donne un coup de coude à sa sœur et lui glisse à l'oreille :

— Comment va-t-on les appeler maintenant : MaJosé et PaMaria ?

Ils pouffent de rire nerveusement pour oublier que tout ceci est très déconcertant. Paquita lui dit :

— En tout cas, celui qui cherche les céréales partout, ça doit être PaMaria, car Maman sait exactement où ils se rangent.

— Oui, et celle qui n'arrive pas à dévisser le couvercle de la confiture, ça doit être MaJosé, car Papa aurait réussi en un quart de secondes.

— A moins qu'ils fassent semblant ? Et si tout ça c'était pour qu'on arrête de dire Maman ci, et Papa ça ?

Quand le petit déjeuner fut prêt, ils le dégustèrent avec plaisir et une grande faim liée à toutes ces émotions. Il leur était effectivement Impossible de voir une différence avec celui des autres jours. Puis les enfants partirent faire leur toilette et s'habiller, pendant que les parents se partageaient les tâches ménagères comme chaque week-end. L'un passa l'aspirateur, l'autre fit tourner des machines de linges, MaJosé fit le lit et monta du bois pour la cheminée, et PaMaria fit la vaisselle puis sortit les poubelles pour le lendemain. En fin de compte, à part leur apparence bizarroïde, on pouvait dire que c'était des parents normaux, qui savaient faire tout ce que les parents savent faire. Par contre, on supprima la balade dominicale. Il n'était pas question d'être vus ainsi pas les voisins. Ils jouèrent donc au scrabble en famille, les enfants eurent droit à leurs câlins, et même à la lecture d'une histoire, sans savoir vraiment qui la leur avait lue.

Quand ce fut l'heure d'aller au lit, ils étaient déjà presque habitués à les voir comme ça mais tout de même un peu anxieux pour la suite. Paquita surtout se demandait :

— Comment va-t-on faire maintenant ?

— Pourquoi tu t'inquiètes, on a passé un bon dimanche non ? lui répondit son frère qui avait bien rigolé, mais pensait toutefois que ce serait bien si ce n'était qu'une plaisanterie de courte durée.

— C'est vrai mais c'est très perturbant, ils ne peuvent pas

rester comme ça !

— Ça ira mieux demain, tu verras !

Et dans un murmure, il dit, comme une prière :

— Agabatur Ruob Manipot

— Qu'est-ce que tu dis ?

— T'occupes, c'est un truc que j'ai lu dans un livre.

— Ah ! Alors bonne nuit petit frère, dit-elle.

— Bonne nuit grande sœur, dit Pedro. Il entendit au creux de son oreille :

— Rutabaga, Topinambour, mon sang ne fait qu'un tour, je vole à ton secours.

C'était Bisbille, un peu honteuse d'être à l'origine de toute cette pagaille, qui venait réparer les dégâts.

— J'imagine que tu voudrais que tout soit comme avant ? Lui demanda-t-elle

— Oh oui, s'il te plaît, chuchota Pedro. Et il sombra dans le sommeil le plus profond.

Le lendemain effectivement, quand José et Maria sont venus réveiller leurs enfants, ils étaient à nouveau les parents qu'ils avaient toujours connus.

Mais, entre nous, ils n'ont jamais su lequel des deux était la vraie Maman ou le vrai Papa. Etait-ce le corps ou la tête qui les identifiait ? Peut-être ni l'un ni l'autre. Après tout, est-ce que ce ne sont pas seulement nos actes qui comptent ?

En tout cas, de ce jour, Pedro et Paquita se firent la promesse de ne plus jamais se disputer leurs parents et de les aimer aussi fort tous les deux. Et la famille reprit enfin son cours normal.

Se méfier de ce que l'on souhaite

 Chen et Fou-Yi sont deux frères jumeaux de 11 ans. Chen étant venu le premier au monde, et comme souvent entre frères et sœurs très proches, il y a les jours où ils ne pourraient se passer l'un de l'autre, et les jours où ils se détestent et se comportent en vrais frères ennemis. C'est alors un casse-tête pour les parents, car c'est à celui qui fera le plus de bêtises en arrivant à faire porter le chapeau à l'autre !

Et justement ce matin ils sont partis du mauvais pied, car Chen a refusé de prêter son nouveau stylo « de la Guerre des étoiles » à Fou-Yi, qui a décidé de se venger. Il ne savait pas encore comment, mais il en avait assez d'être toujours le plus petit, le trop jeune pour ceci, le pas assez grand pour cela etc.... Sauf pour les corvées ! Pour être honnête, quand ses parents confiaient à Chen le soin de mettre la table ou de la débarrasser, Fou-Yi ne se précipitait pas franchement pour le faire à sa place. Et s'il s'agissait de ranger leur chambre, Fou-Yi était d'une telle lenteur que Chen en avait fait trois fois plus quand tout était fini. Mais revenons à notre journée partie de travers.

Après la cantine, Chen taquine et provoque son frère.

— Je parie que Monsieur Serrelavis va te reprocher de trop bavarder au lieu d'écouter, et que Madame Courtemèche te dira que tu ne fais que des bêtises.

Fou-Yi enrage, mais la seule chose qu'il arrive à lui répondre, croyant qu'il s'agit d'une insulte suprême, c'est :

— Agabatur Ruob Manipot ! Na !

Aussitôt, Bisbille qui avait animé cette discussion, appelle Fouillassonne pour qu'elle intervienne. Celle-ci susurre à l'oreille de Fou-Yi :

— Rutabaga, Topinambour, mon sang ne fait qu'un tour, je vole à ton secours ! Que puis-je faire pour te plaire mon garçon ?

Fou-Yi, interloqué lui demande qui elle est, et ralentit le pas pour que son frère ne l'entende pas soliloquer.

— Je suis une Sorcigentière, et je peux changer ce que tu veux en qui tu veux, ou qui tu veux en ce que tu veux, mais seulement jusqu'à ce soir.

Fou-Yi réfléchit, mijote, imagine les pires scénarios pour embêter son frère. Il se dit que si Chen était un petit animal, il n'arriverait pas à suivre les cours de l'après-midi, et il aurait des mauvaises notes à sa place. Ayant fait son choix, il dit :

— Je voudrais que Chen soit un crapaud !

Aussitôt dit, aussitôt fait, voilà notre ami Fou-Yi affublé d'un vilain crapaud brunâtre aux gros yeux jaunes et globuleux, sur son épaule. C'est qu'il n'avait pas prévu ça le pauvre ! Du revers de la main, il chasse le crapaud pour s'en débarrasser. Or celui-ci atterrit par hasard dans la poche de Fou-Yi, sans qu'il s'en rende compte. Il s'y trouve bien à l'aise d'ailleurs, c'est doux et chaud, alors il pique un petit somme.

Fou-Yi se dirige vers sa classe pour les deux heures de sciences et vie de la terre.

— Aujourd'hui nous allons parler des batraciens, dit Monsieur Serrelavis. Il demande aux enfants :

— Savez-vous ce qu'est un batracien ?

— C'est la famille des grenouilles ou des crapauds, répond Fou-Yi

Au mot crapaud, Chen se réveille et se met à coasser du fond de la poche. Toute la classe entend :

— Coâââ ! Coâââ !

— La réponse est bonne Fou-Yi, mais il n'est pas utile de les imiter. Nous savons tous ce qu'est une grenouille ou un crapaud.

Fou-Yi est couvert de ridicule. En mettant sa main dans la poche de sa veste, il trouve le crapaud dont il se croyait débarrassé. Que faire ?

— Coâââ ! Coâââ ! Répète Chen.

— Je croyais vous avoir demandé de cesser ce bruitage, s'exclame Monsieur Serrelavis.

— Je, je, heu, excusez-moi, ça m'a échappé, bégaye Fou-Yi.

Trouvant une toute petite araignée sous la table, il l'attrape et la donne à son frère, en le suppliant tout bas de se taire. Chen grignote, il est content. Pendant ce temps, le cours continue tranquillement. Mais l'araignée était si petite que Chen a encore faim. Et il l'exprime tout haut :

— Coâââ ! Coâââ !

Cette fois-ci Monsieur Serrelavis se fâche :

— Je vous avais prévenu, mais vous continuez à faire le pitre.

Vous aurez donc une mauvaise note pour votre conduite d'aujourd'hui.

Le cours se termine sans autre incident fâcheux. Mais Fou-Yi est contrarié. Ce n'est pas du tout ce à quoi il s'attendait. L'heure suivante étant un cours de dessin, il pense que les choses iront mieux. Il sort ses tubes de peinture, son chevalet et ses pinceaux, et s'applique à terminer le petit paysage à la gouache qu'ils ont commencé la fois dernière. Chen se tient coi. On ne l'entend pas, il ne bouge pas, à tel point que Fou-Yi a peur qu'il ne puisse plus respirer dans le fond de sa poche. Alors il l'entrebâille un peu plus. Et patatras ! Le crapaud saute sur la peinture, bondit du jaune au rouge, du bleu au vert, du noir au blanc, et se met à danser sur le papier en laissant des traces partout. Un vrai désastre ! Et le prof qui arrive à ce moment-là ! Ahurie devant le travail de Fou-Yi, Madame Courtemèche lui demande :

— Où est donc la jolie peinture que vous m'aviez montrée l'autre jour ?

— C'est celle-ci Madame, avec ce que je viens de faire aujourd'hui.

— Je peux comprendre à quoi vous jouez Fou-Yi ? Vous sabotez délibérément votre travail ?

— Non Madame, pas du tout, mais, je n'arrive pas à contrôler mon pinceau.

— Quelle minable excuse ! Vous aurez un zéro pour votre dessin, et je ne vous félicite pas pour votre conduite. Tachez de vous rattraper la prochaine fois.

Fou-Yi vire de toutes les couleurs. De pâle il devient verdâtre puis rouge de honte. Il n'a jamais été autant humilié à l'école. Ah ! Ça lui apprendra à vouloir que son frère soit un crapaud. Il aurait dû réfléchir avant aux conséquences. Et le pire, c'est qu'il ne peut pas lui faire du mal à ce pauvre crapaud, c'est tout de même son frère, et il est supposé redevenir normal dans quelques heures.

Il se dirige avec appréhension vers la salle du derniers cours. Il s'agit de l'anglais. Qu'est-ce que Chen va pouvoir faire cette fois-ci ? Fou-Yi aime bien Mademoiselle Pearl. C'est une vieille fille un peu timide mais très gentille, toujours impeccable, avec un foulard sagement noué autour du cou, et qui tient à avoir en permanence un bouquet de fleurs sur son bureau. Le seul problème, c'est qu'elle a une voix si douce qu'on a du mal à la comprendre si on s'éloigne de trop. Alors comme chaque fois, Fou-Yi s'installe au premier rang pour bien l'entendre. Il est assez bon en anglais, c'est d'ailleurs la seule discipline où il a toujours de très bonnes notes.

Le cours commence sans embûche. Fou-Yi répond chaque fois qu'il peut aux questions posées et Mademoiselle Pearl semble contente de ses réponses. Mais tout à coup, notre ami Chen qui commence à avoir trop chaud, trop soif, et à se dessécher, saute d'un bond hors de la poche qui l'abritait, sur le cahier de Fou-Yi. Le deuxième bond le transporte sur le bureau du professeur, et le troisième dans le vase de fleurs, avec un gros PLOUF et des éclaboussures partout. Mademoiselle Pearl pousse un hurlement, fait un bond en arrière, se cogne la tête sur le tableau et constate affligée les coulures d'eau et d'encre mélangées sur son cahier.

— Qui a fait ça ? tonne-t-elle d'une voix dont personne ne la croyait capable.

Silence dans la salle.

— Je veux un nom tout de suite !

Consternation. Fou-Yi n'a pas le choix, il faut qu'il se dénonce avant que ses camarades ne l'accusent. Il lève timidement son doigt et baisse les yeux. Mademoiselle Pearl a du mal à le croire.

— Que se passe-t-il Fou-Yi, on se met à faire des vilaines blagues comme ses petits camarades ?

— Je vous demande pardon Mademoiselle, je ne savais pas … je ne pensais pas …

— Taisez-vous, les faits parlent d'eux-mêmes. Vous me voyez dans l'obligation d'écrire un mot à vos parents sur votre attitude inexcusable.

Fou-Yi baisse la tête. Quelle catastrophe, à trop vouloir se venger, il s'est puni lui-même. Il a passé une journée épouvantable, et il ne peut même pas en vouloir à Chen puisque c'est lui qui a souhaité tout ça. Et le pire, c'est que son frère lui a manqué. Alors, sur le chemin du retour, il caresse le petit crapaud au fond de sa poche. Quand le sortilège s'évanouit et qu'il voit Chen tel qu'il était, Fou-Yi le serre très fort dans ses bras, les larmes aux yeux.

— Bah qu'est-ce qu'il t'arrive petit frère ? Demande Chen qui s'étonne de cette émotion et ne se souvient de rien.

On a passé une bonne journée non ?

Les deux « Ma »

Bellefontaine est un petit village de la province, niché au creux d'une vallée et entouré de forêts. Avec sa très vieille église et ses belles maisons en pierre aux balcons toujours fleuris, il a un charme fou et plein de caractère. En son cœur, situé dans le quartier piétonnier, il y a une belle place rectangulaire qui sert au marché le samedi et de lieu de rencontre, de repos ou de jeux, les autres jours. Deux érables séculaires y trônent majestueusement à chaque bout, dont le feuillage bien fourni passe du vert au rouge puis au doré selon les saisons. Sous ces deux arbres, sont installés plusieurs bancs, ainsi qu'autour d'une magnifique fontaine avec des chevaux sculptés, où les enfants comme les oiseaux aiment à se rafraîchir en été. La place est bordée de belles boutiques, d'une pâtisserie fameuse, et d'un restaurant douillet et réputé qui s'appelle « Aux deux Ma ». Ici, tout le monde connaît les deux Ma. Les anciens comme les nouveaux venus. Evidemment, un visiteur de passage, un 'étranger' comme on dit ici, ne manque pas d'en entendre parler, croyant qu'il doit s'agir d'une curiosité locale à visiter. Eh bien parfaitement ! Les deux Ma sont une curiosité locale, et on peut dire en quelque sorte qu'elles se visitent, car ce serait inconcevable d'explorer cet adorable petit village sans venir les saluer. Les deux Ma sont tout simplement le symbole d'une amitié de plus de soixante-dix ans : Marguerite et Marjolaine, deux vieilles dames qui se connaissent depuis la toute petite enfance. Nées la même année et voisines, elles ont sucé leur pouce ensemble, fait leurs premiers pas à quelques mois d'écart, babillé de concert, et se sont retrouvées toutes les deux à la maternelle la même année. Elles ont fait toute leur scolarité ensemble, et ne se sont jamais quittées. Marjolaine était la plus réfléchie des deux, calme, posée, et très habile de ses mains. Marguerite était la fonceuse, spontanée, toujours prête à de nouvelles expériences. Bien sûr, de temps en temps, il y avait bien une petite fâcherie qui les contrariait. Mais si l'une savait toujours quand demander pardon, l'autre savait aussi reconnaître ses torts, si bien que leurs petites brouilles ne duraient jamais longtemps.

Les années ont passé et Marjolaine est devenue dentellière, mais très indépendante, elle choisit de rester célibataire. Marguerite, elle, s'est mariée dès la fin des études, avec un jeune homme du coin. A eux deux, ils ont repris le restaurant de ses parents, et après quelques rénovations, l'ont rebaptisé « Aux deux Ma ». A Bellefontaine, chaque famille y avait déjeuné, dîné ou célébré un événement, et chaque maison avait plusieurs ouvrages en dentelle de Marjolaine. Les années passant, on s'était habitué à les voir toujours ensemble, et le village était fier de leur gentillesse comme de leur amitié qu'on citait en exemple.

Marguerite avait eu deux petites filles, qui ont grandi trop vite comme tous les enfants, se sont mariées à leur tour, et ont quitté le village pour leur travail. Mais ayant passé toute leur vie à Bellefontaine, les deux Ma ne pouvaient envisager de vivre ailleurs. Et puis le temps a passé, la retraite est venue, et Marguerite s'est retrouvée veuve. Cette amitié, riche de confidences, de joies et de chagrins partagés, les avait toujours aidées à surmonter les épreuves. Alors puisqu'elles étaient toutes les deux seules, elles ont décidé de faire logis commun. Marguerite a vendu son restaurant, Marjolaine sa boutique, et elles ont acheté une belle maison ensemble. Ainsi, à Bellefontaine, on continua à voir Marjolaine et Marguerite marcher bras dessus bras dessous comme au bon vieux temps, mis à part les cheveux blancs et les rides en plus ! Elles s'asseyaient régulièrement sous l'un des érables, pour papoter, regarder les gens passer ou les enfants s'amuser, et ne s'ennuyaient jamais. Elles avaient toujours un mot gentil pour les uns, une confiserie pour les autres. On venait même leur demander des conseils dont elles étaient prodigues, avec beaucoup de délicatesse.

Et puis un jour, un entrepreneur, Monsieur Razetout, est arrivé sans crier gare, a mis des barrières autour de la place, et une grande pancarte annonçant la mise en chantier d'un parking qui remplacerait la fontaine et les érables. Si certains commerçants espéraient que ça ferait peut-être mieux marcher leurs affaires, dans l'ensemble, les villageois étaient totalement contre. Et nos deux Ma étaient furieuses. Quoi ? Retirer des érables qui étaient plus vieux qu'elles, enlever la fontaine aux oiseaux et ne plus voir les enfants jouer tranquillement sans danger ? C'était impensable ! Le sujet était sur toutes les lèvres, le village tout chamboulé.

Mais les travaux commencèrent, la fontaine fut démolie, et la belle place n'était plus que bruit et poussière. Marjolaine et Marguerite comme plein d'autres, ne pouvaient plus venir s'asseoir dans la semaine sur leur banc favori. Il ne restait que les samedis et les dimanches, et encore, le plaisir n'était plus le même, la vue désastreuse. Alors elles se mirent à comploter. D'un commun accord, elles décidèrent qu'il fallait contrecarrer ce projet coûte que coûte. Marjolaine, qui connaissait ses classiques, se mit à murmurer :

— Agabatur Ruob Manipot.

Une Sorcigentière qui était de passage, se posa sur son épaule et lui répondit :

— Rutabaga, Topinambour, mon sang ne fait qu'un tour, je vole à ton secours. Je suis Greluche, que puis-je pour toi ?

Marjolaine lui exposa la situation rapidement et lui demanda ce qu'elle pouvait faire pour empêcher les travaux d'avancer. Greluche se mit à rire et lui dit :

— Pas de problème, je ferais en sorte que les ouvriers s'endorment chaque jour au lieu de faire leur travail.

— Parfait, lui répondit Marjolaine.

Effectivement le lendemain, à peine arrivés sur le chantier, les ouvriers se laissèrent tomber sur le sable et s'endormirent, comme atteints d'un mal étrange. Evidemment, ce n'était pas très discret, et si les habitants ne s'en plaignaient pas, les rumeurs eurent vite fait de circuler. Il se passa tout de même quatre jours avant que l'entrepreneur ne vienne se rendre compte de la situation. Très fâché de voir qu'aucun progrès n'avait été réalisé, il se mit à crier, et usa de toutes sortes de menaces pour convaincre les ouvriers de faire avancer le travail. Les deux Ma étaient bien embêtées. Elles n'allaient tout de même pas faire perdre leur travail à ces braves gars qui n'y étaient pour rien. Elles invoquèrent à nouveau la Sorcigentière pour lui demander de trouver un autre stratagème.

— Ne vous inquiétez pas, leur dit Greluche, nous allons trouver une solution.

Les Sorcigentières se réunirent pour mettre au point un nouveau plan. Cette fois, Fouillassonne et Escagasse allaient se charger de l'affaire.

Vendredi, Marjolaine et Marguerite annoncèrent qu'elles entamaient une grève, qu'elles ne quitteraient plus leur banc sous l'érable jusqu'à ce qu'elles obtiennent la garantie qu'on ne toucherait plus à leur place. Les villageois étaient en émoi. Il n'était pas question qu'elles tombent malades à leur âge. Pendant le week-end, les uns se chargèrent de leur apporter à manger, d'autres de fournir couvertures et oreillers, et nos deux Ma, courageuses et déterminées, passèrent leurs premières nuits dehors. Heureusement, on était en été, et le temps était clément.

Le lundi, une fois les ouvriers partis, Fouillassonne remplit l'énorme trou qu'ils avaient creusé par de l'eau claire, et Escagasse y ajouta plein de poissons. Le mardi, Monsieur Razetout vint de bonne heure vérifier l'avancement des travaux, et constata le phénomène par lui-même. Contrarié et perplexe, il demanda à ses hommes de vider tout ça et de creuser un peu plus loin, au cas où ils auraient atteint une source. Le soir venu, Fouillassonne le combla de boue, et Escagasse y parsema des cailloux de toutes les couleurs. Le mercredi matin, Monsieur Razetout était très énervé. Mais obstiné comme il était, il n'allait pas laisser tomber pour si peu. Les ouvriers vidèrent donc toute la boue, et continuèrent de creuser.

Pendant ce temps, la solidarité au village s'organisait. Marjolaine et Marguerite avaient régulièrement des visites pour qu'on s'assure qu'elles allaient bien, on leur avait même apporté un parasol chauffant pour les nuits fraîches, de la lecture, une radio, bref, elles ne manquaient de rien, et surtout pas de chaleur humaine. La fin de la semaine se passa sans incident notoire, le terrassement était fini, il restait à poser le revêtement final.

Et là, les Sorcigentières s'en donnèrent à cœur joie. La première nuit, Fouillassonne transforma la place en magnifique pelouse, piquée de boutons d'or par Escagasse. La deuxième nuit, elles plantèrent des fougères, des cèpes et des girolles. Au village, on refusa que les ouvriers arrachent tous ces magnifiques champignons pour les jeter, et on se rassembla pour les cueillir soigneusement et les consommer. On commençait à se demander si les deux Ma avaient quelque chose à voir avec tous ces miracles, mais personne ne songeait à les en blâmer, trop contents de voir Monsieur Razetout s'arracher les cheveux, de plus en plus désespéré. Les nuits se suivirent mais ne se ressemblèrent pas. Chaque matin, la population, les ouvriers et l'entrepreneur découvraient éberlués une nouvelle facétie des Sorcigentières. On a vu un champ de blé, parsemé de coquelicots, une lande recouverte de bruyère, de la mousse et des bouleaux nains comme sur une toundra, des dunes de sable décorées de coquillage, bref, toutes sortes de paysage y sont passés.

Et les habitants passèrent des paroles aux actes. Des pétitions furent signées, des affiches posées partout pour s'opposer au projet. Ils se rassemblèrent devant la Mairie pour manifester, puis écrivirent au préfet. On parlait même d'écrire au Président et de monter dans la capitale faire une marche de protestation si nécessaire.

Pendant ce temps, Monsieur Razetout ne comptait plus les jours perdus à défaire ce qui avait soudainement poussé pendant la nuit. Il en était malade et croyait devenir fou. Il savait que l'heure des comptes était venue, et que ce projet pourtant simple au départ, était devenu un gouffre. En effet, le budget alloué à l'opération ayant largement explosé, les commanditaires décidèrent d'abandonner le projet.

Les villageois avaient enfin gagné ! Ils en pleuraient de joie. Alors ils firent une grande fête, sur la place bien sûr, que les ouvriers avaient dû nettoyer et remettre en état. Les deux Ma étaient de la partie, mais le soir venu, elles étaient contentes de pouvoir enfin retourner dormir chez elles. Il restait tout de même une trace du projet saboté : si les érables n'avaient pas été arrachés, il n'y avait plus de fontaine au milieu. Alors dès le mois suivant, les habitants se mobilisèrent pour en reconstruire une ensemble, encore plus belle, en mémoire de leur combat et pour que le village continue de mériter son nom. Seulement cette fois, au lieu de chevaux, on érigea deux sculptures de femmes versant l'eau d'une cruche, qui ressemblaient à s'y méprendre à nos deux Ma.

Le mal du siècle

 Roderick, dix ans, est le fils unique de John, reporter international et Jennifer, hôtesse de l'air. Il ne manque de rien, il habite un grand appartement dans les quartiers chics de New-York, a des placards entiers remplis de jouets, et assez d'habits pour en changer tous les jours pendant trois mois. Sa santé est bonne, sa nounou lui prépare des repas savoureux tout en étant diététiques, il a un bon gros chien qu'elle promène à sa place, et pourtant il n'est pas heureux. D'abord parce qu'il ne voit presque jamais ses parents, trop occupés par leur travail, et qu'il n'a ni frère ni sœur ; et puis parce que la nounou change sans arrêt car ils n'ont confiance en personne. Il commence à peine à s'attacher à l'une d'elle, que ses parents trouvent le moyen de la renvoyer au moindre prétexte. Roderick ne comprend pas ce qu'ils peuvent leur reprocher puisqu'ils ne sont jamais là pour voir leur travail. D'ailleurs, ceux-ci en sont réduits à communiquer par téléphones portables, e-mails quand la ligne est mauvaise, petits messages collés partout dans l'appartement quand ils s'y croisent etc. C'est à se demander comment ils ont trouvé le temps d'avoir un enfant. Aucun d'eux n'a jamais voulu mettre un frein à sa carrière, ce qui n'est pas une tare en soi, mais pour comble de malchance, Jennifer n'est pas maternelle pour deux sous, persuadée que pour bien grandir, un enfant a seulement

besoin d'être au chaud, bien nourri et bien habillé.

Avec toutes ces bonnes cartes en mains, Rod – c'est son surnom – a effectivement grandi, sain de corps et fort bien vêtu, mais dans une confusion d'esprit et une solitude désastreuses. Il s'était pourtant fait des amis à l'école, mais comme il avait le droit uniquement de les inviter chez lui et pas d'aller les voir, car ses parents n'avaient jamais eu le temps de faire la connaissance d'autres parents et de leur faire confiance, alors les petits copains se sont vite lassés, et les visites se firent de plus en plus rare. Consciente tout de même qu'il fallait bien occuper son fils, Jennifer l'a inscrit à des activités sportives, base-ball, karaté et natation, qui occupaient tout son temps libre, mais lui laissaient une terrible impression de vide, une fois rentré à l'appartement. Bien sûr, quand l'un ou l'autre revenait de voyage, il était comblé de cadeaux, aussi exotiques et coûteux qu'inutiles. Mais s'il voulait jouer avec eux, la réponse était invariable :

— Pas ce soir mon chéri, je n'ai pas le temps, lui disait son père.

— Pas maintenant mon petit chou, je suis fatiguée, lui disait sa mère.

Et s'il avait le malheur de prendre un air contrit ou morose, Jennifer lui faisait une remontrance :

— Qu'est-ce qui ne va pas Rod, il ne te manque rien que je sache ! Tu te rends compte de la chance que tu as comparé à d'autres enfants ? Alors fais un effort et souris au moins !

Rod aurait voulu leur expliquer que les cadeaux ne servaient pas de câlins, que le sport ne remplaçait pas les fous-rires qu'il rêvait d'avoir avec eux, et que Taj, leur superbe boxer, ne pouvait pas faire office de confident et meilleur ami, mais ils n'avaient pas le temps de l'écouter.

Alors petit à petit, il est devenu boudeur et taciturne. Autoritaire et capricieux. Désagréable et vaniteux. Il s'est enfermé dans son monde imaginaire à lui, pour se protéger. Puis il se mit à harceler ses petits camarades de classe, à semer la discorde, et à malmener sa ou plutôt ses nounous. Mais on ne fait pas du mal sans raison. C'est souvent pour cacher ses propres souffrances. Pour le coup, les quelques amis qui lui restaient se mirent à le fuir ; quant aux employées de maison, ses parents n'avaient plus le loisir de les renvoyer, car elles partaient d'elles-mêmes. De petit enfant adorable, à renfermé, il devint vite indésirable. Or un jour, comme il parlait à voix haute pour peupler le silence de sa chambre, il prononça cette phrase tarabiscotée qu'il avait lue quelque part, et dont le côté mystérieux lui plaisait bien :

— Agabatur Ruob Manipot

Une Sorcigentière, qui connaissait sa situation pour l'avoir observé de loin, lui susurra aussitôt dans son oreille :

— Rutabaga, Topinambour, mon sang ne fait qu'un tour, je vole à ton secours. Je suis Fouillassonne à ton service.

La peur passée et les présentations faites, Roderick se mit à réfléchir à ce qui lui ferait plaisir. Comme il avait sur un des murs de sa chambre un grand poster d'un chevalier en armure sur un superbe étalon, qu'il aimait particulièrement regarder avant de s'endormir, il lui dit :

— Je veux que ce chevalier devienne mon compagnon de

jeux !

Pas d'humilité, ni de politesse ou de remerciement, c'était un ordre pur et simple. Heureusement, Fouillassonne savait ce que cachait ce cœur en apparence dur comme un roc. Elle lui répondit :

— D'accord, tu auras ce chevalier à tes côtés quand tu rentreras de l'école, mais jusqu'à 22 heures seulement. Après quoi il devra retourner sur son cheval dans cette image.

Fouillassonne à peine disparue, Rod vit son héros debout sur le tapis de sa chambre, qui lui arrivait à l'épaule alors que lui-même était à genoux. Certes, il avait fière allure dans son costume d'un autre âge, mais il était vraiment petit ! Le chevalier le salua d'un grand geste avec son chapeau, et dit d'une voix bien grave et impressionnante pour sa taille :

— Je suis Calcédoine du Rutile de la Baryte.

D'un ton bourru, Rod rétorqua :

— Ouais, bah c'est bien trop compliqué tout ça, alors faudra te contenter de Cal.

— Aucun problème.

— Alors on va jouer avec mes voitures, et tu seras mon garagiste.

— Oh là ! Minute mon garçon, je crois qu'on a oublié de t'expliquer les règles !

— Les règles ! Quelles règles ? Ici, c'est moi qui les fait les règles.

— Hum, Hum , toussota Cal. Et bien vois-tu, ma présence à tes côtés est liée à une condition essentielle. Pour que je puisse jouer avec toi, tu dois d'abord m'écouter et m'obéir pendant une heure chaque jour.

Rod s'esclaffa.

— Ah oui ? Et si je refuse ? Tu vas me flanquer une fessée peut-être ?

— Ce ne sera pas nécessaire, je disparaîtrai comme je suis venu, mais pour toujours.

Roderick évalua la situation très vite. Pour une fois qu'il avait quelqu'un qui lui répondait quand il parlait tout haut, il n'allait pas tout gâcher sur un accès de mauvaise humeur. Mieux valait essayer cette relation nouvelle au moins quelques jours.

— C'est bon, je t'écoute, maugréa-t-il.

Cal commença par lui demander de ranger sa chambre, de faire son lit, d'accrocher ses vêtements, de mettre ses affaires sales dans le panier adéquat, puis de faire ses devoirs, auxquels il participa pour l'aider. En fait, il s'était passé bien plus d'une heure mais Rod ne s'en était pas aperçu, tout content d'avoir une oreille pour écouter son bavardage intarissable.

Puis ils se mirent à jouer. Ils firent des courses de voiture sur la télévision de sa chambre avec un logiciel de pilotage, jouèrent aux détectives pour résoudre une énigme, et firent même voler son hélicoptère téléguidé par la fenêtre, ce qui était formellement interdit par ses parents. Quand vint l'heure de se retirer pour Calcédoine, Roderick était tout prêt à se coucher, fatigué par ce flot d'émotions nouvelles, mais heureux. Cal lui raconta une histoire, mais Rod ronflait déjà avant la fin.

Et c'est ainsi que se tissa peu à peu une amitié tout à fait particulière entre les deux, faite de contraintes et de concessions comme de plaisirs, ce qui était très nouveau pour Rod. Mais le chevalier avait une mission spécifique à remplir. Il devait remettre ce garçon sur le bon chemin. Lui redonner de l'allant, la joie de vivre, le goût du partage avec les autres, et la confiance en soi. Il entreprit donc chaque jour de donner des leçons à Rod, sans en avoir l'air, tout en le distrayant et lui tenant compagnie. Comme il n'était visible que de Rod et personne d'autre, ils se mirent à promener Taj ensemble quotidiennement. Ces ballades étaient le prétexte de discussions sérieuses comme de bavardages légers, et se terminaient souvent par de fous-rires incontrôlables qui faisaient se retourner les passants qu'ils croisaient, intrigués de voir un enfant riant tout seul avec son chien en laisse. Calcédoine lui fit découvrir des livres passionnants pour le détourner de cette télévision qui l'abrutissait, l'initia à des jeux de rôles, et surtout, lui apprit à observer les autres et les écouter, au lieu d'être toujours centré sur lui-même. Quand il leur arrivait de se disputer, ou que Rod se comportait mal avec lui, Cal retrouvait sa position figée sur le mur jusqu'au lendemain. Mais ça n'arrivait pas souvent.

Les progrès se firent vite sentir. Roderick, faisant un effort pour aller au-devant de ses anciens camarades, les entourer d'une attention qu'ils n'avaient jamais connue de sa part, fut rapidement payé de retour. Ses résultats scolaires s'amélioraient, et les commentaires des professeurs sur son bulletin se faisaient élogieux. Et au fur et à mesure que sa cote de popularité remontait, Calcédoine réduisait discrètement le temps qu'il passait avec Rod sans que celui-ci n'en souffre. Mais il avait un petit pincement au cœur, car il s'était attaché à ce garçon qu'il lui faudrait quitter un jour. Quand Jennifer et John recevaient du monde, en ces rares occasions où ils arrivaient à passer quelques temps ensemble, on les complimentait sur la gentillesse et la politesse de leur fils. Totalement ignorants du fait que Roderick avait bénéficié des conseils de quelqu'un qui prenait le temps de l'écouter comme de lui parler, les parents se félicitaient de leur bonne éducation. Ils étaient convaincus que si leur fils savait se tenir en société, c'était grâce à cette excellente et très chère école où ils avaient les moyens d'envoyer Rod. Ils n'ont malheureusement jamais compris que si les plantes ont besoin de bonne terre pour donner leurs plus belles fleurs, les enfants aussi ont besoin d'affection et d'attention pour s'épanouir et donner le meilleur d'eux-mêmes. Rod essaya bien sûr de se rapprocher d'eux, surtout après que Cal eut réintégré définitivement son cadre de papier, mais si les réponses avaient légèrement varié, le résultat était le même :

— Rod, tu es un grand garçon maintenant, tu n'as pas besoin de moi pour t'occuper voyons ! lui disait sa mère

— Mon fils, tu devrais te plonger dans tes livres au lieu de penser sans cesse à te distraire, lui répondait son père.

Rod continua de grandir, et il reporta son trop plein d'affection sur ses amis, qui en échange comblaient la solitude ressentie à la maison. Quand vint le temps de s'orienter pour ses études, il choisit tout naturellement une carrière tournée vers les autres. Et il se fit la promesse que quand il trouverait la femme de sa vie, il prendrait le temps chaque jour de l'écouter et de lui montrer son amour. Car il avait appris que le temps passé auprès de ceux qu'on aime est plus précieux que le plus cher cadeau du monde.

La main verte

 Basile a l'esprit qui vagabonde. Il a les deux coudes appuyés sur la table à manger, devant une page blanche, pendant que sa mère le surveille du coin de l'œil. Il est supposé rédiger une composition, mais l'orthographe le rebute. Depuis son entrée au collège, il peine sur tout. Les maths auxquelles il ne comprend pas grand-chose, l'histoire qu'il faut apprendre par cœur et qui ne l'intéresse guère, et ce Français qu'un inconnu avait emberlificoté pour rien du tout. Il ne comprend pas pourquoi on n'écrit pas les mots comme on les prononce. S'il avait l'occasion de changer les règles, « qui-que-quoi-dont-où » deviendrait « Ki-ke-koa-don-ou », la physique deviendrait la « fisike », et tout serait beaucoup plus simple.

— Basile, il avance ce devoir ou tu es dans la lune ? lui demande sa mère, interrompant brutalement ses rêveries.

— J'ai du mal Maman, j'arrive pas à commencer, dit-il tout penaud

— Je te rappelle que le dîner vient après les devoirs. Alors plus tu traînes et plus tu mangeras tard.

— Oui Maman, je sais, répond-il avec un gros soupir.

Marianne Vincent n'est pas plus sévère qu'une autre Maman, mais elle tient à ce que son fils soit un bon élève. Secrétaire à la Mairie de sa commune, elle est mariée à Roger, un maçon qui a sa petite entreprise avec trois ouvriers, et un carnet de commandes rempli au moins un an à l'avance. Ils ont une vie agréable et une maison confortable, mais tout n'a pas toujours été rose. Ils ont peiné de longues années pour en arriver là. Alors elle s'est juré que ses deux enfants feraient mieux qu'eux, qu'ils iraient plus loin que le brevet, au moins jusqu'au Baccalauréat, et si possible à l'Université.

Ils étaient fiers de leur fille aînée, Sylvie. Elle n'avait pas été en fac, mais avait décroché un certificat de comptabilité et trouvé une bonne place cinq mois après ses examens.
Par contre, Basile lui donnait du souci. Il était clair qu'il n'aimait pas étudier comme sa sœur. Alors elle ne le lâchait pas d'un pouce, persuadée de bien faire en le poussant comme elle le faisait.
En effet, Basile n'aime pas vraiment l'école. Depuis tout petit, il a une passion pour les plantes et les fleurs, et s'il avait le choix, il passerait ses journées dans le jardin. Quand son père s'acquittait des taches d'entretien indispensables, il le suivait partout, observait tous ses gestes, retenait les noms des plantes comme les différentes façons de s'en occuper. Il l'aidait comme il pouvait, surtout à ratisser à l'automne, et à planter au printemps. Dès l'âge de cinq ans, il avait fait ses premières plantations dans sa chambre. Il a commencé comme plein d'enfants avec des lentilles et des haricots dans du coton humide, guettant chaque jour la première racine, le début d'une tige. Après ce fut un noyau d'avocat, et puis des œillets d'inde et des pensées. Très tôt, il s'était constitué un herbier qu'il remplissait au fur et à mesure de ses ballades

ou de ses vacances.

A ses dix ans, son père lui permit de commencer à tondre la pelouse. Un terrain de mille deux cents mètres carrés pour lui tout seul ! Basile était si fier ! Il poussait la tondeuse la tête haute, comme s'il avait fait ça toute sa vie. Il se débrouillait tellement bien que son père se déchargea rapidement sur lui d'un tas de petites corvées. A onze ans, il eut même l'autorisation d'offrir ses services de tonte et de ratissage, à deux familles du voisinage, un couple assez âgé et une veuve, moyennant un peu d'argent de poche.

Mais pourquoi Basile avait-il besoin d'argent ? Et bien ça, c'était son secret. Un secret qu'il partageait avec Clémence, cette voisine seule et excentrique dont il entretenait un peu le jardin car elle avait horreur de ça. Clémence, dans la cinquantaine, vivait toute seule depuis le mariage de sa fille. Elle avait divorcé depuis longtemps et exerçait ses talents d'artiste, ce dont elle avait toujours rêvé. Elle peignait de très beaux tableaux, des aquarelles essentiellement, mais faisait aussi de la poterie. Elle ne roulait pas sur l'or et n'était certes pas connue, mais l'essentiel était ailleurs, elle adorait ce qu'elle faisait et son épanouissement la faisait resplendir. Elle avait donc fait la connaissance de Basile à la fin de l'été dernier. Il avait sonné à sa porte pour lui offrir ses services de jardinage, et malgré sa timidité, elle avait été frappée par l'éclat qui brillait dans ses yeux quand il s'est mis à lui parler de son jardin, de ce qu'il pourrait y faire, de ses fleurs qui manquaient d'attention. Elle reconnut de suite cette flamme des passionnés et se promit d'entretenir l'enthousiasme de cet artiste en herbe.

Or en début d'année, la commune avait fait paraître un avis de concours destiné aux jeunes, afin de transformer un terrain qu'elle venait d'acquérir en jardin paysager. Ouvert à tous, il suffisait d'envoyer un dessin du projet, avec un descriptif détaillé des plantations. Le meilleur qui serait sélectionné, obtiendrait une bourse d'études. Basile, dès qu'il eut connaissance de cette annonce, s'était précipité chez son amie Clémence pour lui dire qu'il voulait à tout prix participer au concours. Malheureusement, quand elle avait appelé la Mairie pour avoir plus de renseignements, on lui avait répondu que onze ans, c'était tout de même un peu trop jeune. Basile ce jour-là était au bord des larmes. Il avait déjà commencé à faire des plans dans sa tête, jonglait avec des chênes, des saules et des érables, des rosiers et des iris, et toutes sortes de plantes qu'il déplaçait en pensée comme des pions sur un échiquier. Il était effondré.

Alors Clémence eut une idée. Elle lui proposa de s'inscrire à sa place, de défendre en personne son projet, persuadée qu'il serait toujours temps de s'expliquer s'il gagnait le concours. Que diable, il fallait être optimiste, et ne pas se laisser décourager dès le début ! Basile n'en croyait pas ses oreilles. Il était si content, qu'il lui sauta au cou pour plaquer deux gros bisous sur ses joues. Ils sont convenus que ce serait un secret entre eux, de crainte que ses parents ne s'opposent à cette idée folle. Alors Basile eut un éclair de génie. Habile comme il était de ses mains, il décida de faire un modèle réduit de son projet pour la commune, en construisant son propre jardin miniature. Avec ses économies, il pourrait acheter les graines qu'il lui faudrait, ce que Clémence promit de faire pour lui. Mais elle fut très claire avec Basile, lui expliquant qu'il n'était pas question qu'elle l'aide à faire son jardin. Ce projet devait être le sien à cent pour cent, avec ses seules idées pour qu'il ait la preuve de ses capacités.

Pour commencer, Basile lui empruntât une grande caisse en bois qui avait contenu ses cadres de peinture. Il la doubla d'un film plastique pour la rendre étanche, et la remplit de terreau. Puis, en farfouillant dans le sous-sol de sa maison où son père conservait des trésors de matériel, il ramena petit à petit un tas de fournitures chez Clémence. Il prit un petit récipient de porcelaine verte qu'il enfonça dans la terre à fleur de surface, et le remplit d'eau pour faire un étang. Il se servit d'une gaine souple d'électricité, qu'il coupa en deux dans la longueur, et la transforma en rivière qui partait de l'étang pour y revenir après plusieurs boucles sur le terrain. Ensuite, il fit un monticule au bord de l'étang, avec des petits blocs de mica qu'il collectionnait, et s'évertua à faire une cascade. Pour cela, il fut obligé de découper de fines bandes de papier aluminium qu'il colla sur les pierres pour imiter l'eau coulant jusqu'à l'étang. Il consacra une petite parcelle à un terrain de jeux pour enfants, qu'il recouvrit de sable. Avec du bois, de la ficelle et des allumettes, il construisit une balançoire et un toboggan, plusieurs ponts pour que les promeneurs puissent traverser la rivière, et même une petite gloriette pour les jours de pluie. Le tout peint d'un très joli vert. Avec du gravier tout fin, il traça des chemins piétons, bordés de part en part de bancs entièrement faits de sa main. Puis vint le moment des plantations. Il commença par éparpiller quelques fleurs de gypsophile sur l'étang, en guise de nénuphars, et piqua dans la terre des toutes petites branches de différentes espèces d'arbre qu'il avait recueillies. Sans trop savoir ce que donneraient des graines de vraies fleurs, il sema ses parterres, une rocaille, et différents massifs.

Escagasse, notre Sorcigentière poète et romantique, passait dans les environs sur un nuage et faillit en tomber quand elle vit cet adorable jardin miniature. Sous le charme, elle ne put s'empêcher d'y mettre son grain de sel, et de donner un coup de pouce à Basile. Elle souffla sur les graines et la terre, prononça tout un tas de formules magiques pour faire pousser la végétation comme des bonsaïs. Puis elle disparut comme elle était venue.

Il restait moins d'un mois pour la finale du concours. Chaque jour, en rentrant de l'école, Basile passait chez Clémence pour surveiller son petit jardin. A son grand étonnement, il vit ses branches se transformer en vrais petits arbres, ses tulipes, œillets, rosiers, glaïeuls et autres, pousser pas plus haut que quelques centimètres tout en ayant l'air plus vrai que nature, la gypsophile s'épanouir comme de vrais nénuphars, le tout dégageant les senteurs riches et variées d'un bouquet de printemps. Il n'en croyait pas ses yeux, le paysage était des plus merveilleux.

Le jour J, un samedi, Clémence et lui portèrent la caisse

délicatement dans le coffre de sa voiture. Elle vérifia qu'elle avait bien dans son sac le descriptif qu'ils avaient composé ensemble, le gratifia d'un sourire et d'un clin d'œil complice, puis partit présenter son projet à la Mairie.

Basile ne tenait plus en place à la maison. Il allait dans sa chambre, revenait au salon, sortait dans le jardin, re-rentrait dans le salon. A tel point que Marianne et Roger commencèrent à avoir le tournis.

— Basile, qu'est-ce que tu as aujourd'hui ? lui demanda son père

Basile, qui contenait son impatience à grand peine depuis près d'une heure, ne put garder plus longtemps son secret :

— Papa, Maman, faut que je vous dise, s'écria-t-il.

— Que tu nous dises quoi ?

— Le concours, la Mairie, mon jardin, Clémence est en train de le présenter à ma place, dit-il tout en vrac.

— Le concours, quel concours ? Et de quel jardin parles-tu ? demande Marianne.

Alors Basile, rouge et essoufflé, leur expliqua toute l'histoire. Marianne et Roger se regardèrent un peu abasourdis, sans trop savoir comment réagir. Roger brisa le silence en premier :

— Mon fils, tout ça me paraît très intéressant, même si je pense que tu aurais dû nous en parler, mais j'ai bien peur que tu sois trop jeune pour ce concours. Et je ne voudrais pas que ce soit une catastrophe si tu n'es pas sélectionné. Marianne, bien que vexée d'avoir été tenue à l'écart et un peu jalouse de la complicité de Basile avec

Clémence, laissa son amour pour son fils prendre le dessus. Elle regarda sa montre, se leva d'un bond, et dit d'un ton un peu brusque :

— Bon, et bien puisque Basile est déjà si engagé dans ce concours, allons voir les résultats !

— Oh ! Maman, c'est vrai ? Tu veux bien ? Dis Papa, c'est d'accord ?

— Mais oui mon garçon, dépêchons-nous, nous allons être en retard !

— J'ai les parents les plus chouettes du monde ! s'exclama Basile.

Ils partirent aussitôt pour la Mairie. La salle des fêtes était comble. Tous les projets étaient exposés sur un grand panneau posé sur un trépied, et sur une table à part, trônait tout seul le jardin miniature de Basile qui faisait beaucoup d'effet. Quand Roger l'entrevit parmi la foule, il pressa la main de sa femme et lui indiqua où regarder. Il était si fier de son fils ! Clémence, qui les avait aperçus, se faufila pour les rejoindre. Elle prit la main de Marianne dans la sienne et la serra très fort.

— Je suis si heureuse que Basile vous ait enfin parlé de son rêve. Il a vraiment la main verte !

Puis elle sortit une enveloppe de sa poche et la leur remit. Elle contenait plein de photos du jardin qu'elle avait prises la veille au soir sans le dire à Basile.

— Je crois que ceci vous revient, dit-elle.

Les gens devaient voter pour le projet qu'ils préféraient.

Quand ils eurent terminé, le comité de la Mairie procéda au comptage. Un silence se fit dans la salle. Le Maire se racla la gorge et d'une voix forte et claire il annonça :

— Le projet qui a retenu le plus de soutien de nos habitants, est celui de Clémence Pinçot !

Basile se tut. De joie, il avait des larmes qui coulaient sur ses joues. Il était si ému qu'il ne savait quoi dire. Alors ses parents le prirent par la main, et accompagnés de Clémence, ils s'avancèrent dans un tonnerre d'applaudissements pour se faire connaître et expliquer la candidature déguisée de leur fils. Le Maire était bien embarrassé. Certes, il y avait eu entorse au règlement, il n'en restait pas moins que ce mini jardin était l'œuvre magnifique d'un petit garçon qu'il fallait récompenser comme promis. Après avoir consulté ses collègues à voix basse, il déclara adopter le projet de Basile, en lui conservant la paternité, mais de confier la réalisation à l'entreprise Duboscq qui avait remporté le 2ème prix. La bourse lui reviendrait de droit, afin de pourvoir plus tard à ses études. Puis, pris d'une inspiration soudaine, et en mémoire de son incartade, il déclara à l'assistance :

— Ce joli parc de loisirs s'appellera les Basiliades.

Ce nom qui sonnait bien remporta l'unanimité.

M. Duboscq, un monsieur plus tout jeune, séduit par le jardin de Basile et ravi de voir un jeune avec de telles prédispositions, lui proposa de faire un stage chez lui chaque été pendant un mois, jusqu'à la fin de sa scolarité. En lui-même, il se dit qu'il avait peut-être trouvé là un futur artisan pour assurer sa relève.

Basile était comblé. Il ne savait plus qui remercier ni comment. Alors il prit la main de tous, le Maire, M. Duboscq, Clémence, ses parents, et les embrassa en même temps. Marianne et Roger riaient, heureux de voir leur fils comme ça. Mais comme il fallait qu'elle ait le dernier mot, Marianne, sur le chemin du retour, ne put s'empêcher de lui dire :

— Tu sais Basile, c'est un beau métier Jardinier Paysagiste, mais tu devras quand même finir tes études pour y arriver !

— Oui maman, je sais, dit Basile dans un soupir.

L'inacceptable

Lou travaillait consciencieusement sa leçon de musique. Le violon posé entre son petit menton et son épaule, les yeux fermés, elle passait son archet sur les cordes comme un oiseau vole au-dessus de l'eau en la frôlant à peine. Elle répétait inlassablement le même morceau jusqu'à ce qu'elle soit satisfaite d'elle-même.

Son petit frère, Luc, adorait assister à ces séances. D'abord, la salle de musique de leur grand appartement qui donnait sur un angle au cinquième étage de leur immeuble, avec de grandes fenêtres des deux côtés, était magnifique et pleine de lumière, et puis sa sœur jouait divinement bien. Il s'installait sur un petit banc, de profil près de la fenêtre de façon à la voir jouer tout en regardant ce qu'il se passait dans la rue ou dans les appartements en vis-à-vis.

Et son esprit vagabondait, au son des legato, pizzicato et staccato. Lou en était à un passage particulièrement difficile quand son frère s'écria :

— Aïe, ça doit faire mal ça !

— Qu'est-ce qui doit faire mal ? lui demanda Lou, s'arrêtant de jouer.

— Un coup de poêle sur la tête, répondit Luc.

— Mais de quoi parles-tu ?

— Bah ! Là-bas en face, il y a une grosse dame qui a donné

un coup de poêle sur une fille toute noire.

— Veux-tu t'occuper de tes affaires et me laisser jouer au lieu d'espionner les gens ?

Et Lou reprit depuis le début avec un gros soupir car elle avait horreur d'être interrompue. Luc continua d'observer tout en écoutant attentivement la musique enjouée que sa sœur essayait de finir. Ça ne faisait pas cinq minutes qu'elle avait recommencé, quand il fit à nouveau des commentaires :

— Oh là là, cette fois-ci elle est tombée dis-donc, je la vois plus !

— Quoi encore, qu'est-ce qui est tombé ? demanda Lou, énervée.

— Ben tout à l'heure il y avait deux personnes, et maintenant y'en a plus qu'une. Je crois qu'elle est tombée à cause de la poêle.

Lou s'approcha de la fenêtre, et en diagonale par rapport à leur immeuble, au même étage, elle vit une dame un peu forte avec un chignon comme une pâtisserie sur la tête, qui sortait de sa cuisine. Rien d'anormal à cela, elle avait encore été dérangée pour rien.

— Luc, je te préviens, c'est la dernière fois que je t'entends parler pendant que je joue. C'est compris ?

— Oui, oui, c'est bon !

Et comme il n'y avait plus personne à regarder, il se concentra à nouveau sur la musique de sa sœur. N'empêche que quelque chose le tracassait dans ce qu'il avait vu, et il ne savait pas vraiment quoi.

Le lendemain, à la même heure, dans une toute petite pièce à droite de la cuisine, il vit la même jeune-fille assise sur un lit, la tête entre les mains. Il se dit qu'elle devait être en train de pleurer. En examinant les détails de cette pièce, il se rendit compte qu'il n'y avait rien d'autre qu'une armoire et ce lit, et sûrement aucune place pour jouer. A sa place, il aurait pleuré aussi. Mais il s'abstint de faire part de ses remarques à Lou pour ne pas la contrarier.

La semaine se passa sans que Luc puisse apercevoir quoi que ce soit de nouveau. De temps en temps, il voyait la dame avec son gros gâteau sur la tête, et de temps en temps la jeune fille toute maigre, mais pas les deux à la fois. Dimanche matin, bien que ce ne soit pas l'heure de la répétition de sa sœur, poussé par la curiosité comme s'il avait une intuition, il pénétra dans le salon de musique et se posta à la fenêtre. Et là, il assista à une scène qui lui fit mal au cœur. La grosse dame gesticulait dans tous les sens, elle ouvrait sa bouche tellement grande que Luc était sûr que c'était pour crier, et tout à coup, elle gifla la jeune-fille de toutes ses forces, qui s'en cogna la tête contre les placards. Puis elle la prit par le col de sa blouse et deux secondes plus tard, Luc vit qu'elle la poussait violemment dans sa chambre dont elle claqua la porte en s'en allant.

La jeune-fille était en larmes. Elle se tamponnait le visage avec un mouchoir quand soudain elle leva la tête et aperçut Luc de l'autre côté de la rue. Celui-ci lui fit un petit signe de la main auquel elle répondit furtivement. Puis elle regarda derrière son épaule, et craintive, s'approcha de la fenêtre. Avec son doigt, sur les carreaux sales, elle traça des signes et tira les rideaux précipitamment.

Luc alla chercher ses jumelles et revint en courant à la fenêtre. Mais il était très déçu, tout ce qu'il déchiffra fut : 2 0 2.

— Deux cent deux, deux cent deux, deux zéro deux, pourquoi a-t-elle écrit cela ? se demanda-t-il.

Il courut au salon raconter toute la scène à ses parents pour leur demander leur avis. Mais Pierre-Louis et Yveline qui ne s'occupaient pas des affaires des autres car ils ne voulaient pas qu'on s'occupe des leurs, détestaient les commérages et les ragots. Alors, désapprouvant le comportement de leur fils, ils lui demandèrent de cesser immédiatement de jouer les espions.

Mais Luc avait de la suite dans les idées, et beaucoup d'imagination. Puisqu'on parlait d'espionnage, il se mit en tête qu'il devait s'agir d'un message secret ou d'un code. Il retourna dans sa chambre, écrivit 202 sur un papier, et s'exerça à trouver différentes combinaisons. 2 et 02 ou 20 et 2 ou peut-être 2 + 2, dans ce cas on aurait 4, mais si c'était 20+2, ce serait 22. A moins que le zéro soit en fait la lettre O. Il avait beau se creuser la tête, tout cela n'avait aucun sens. Alors il prit son papier et rejoignit Lou qui se coiffait dans la salle de bains. Comme elle ne tourna même pas la tête, il posa le papier sous son menton et devant le miroir lui demanda :

— A ton avis, ça te fait penser à quoi deux cent deux ou deux

« O » deux ?

Sa sœur jeta à peine un coup d'œil à son doigt pointé dans le miroir :

— Tu t'es trompé Luc, ce n'est pas comme ça qu'on écrit un deux. Toi ce que tu as écrit, c'est SOS, lui répondit-elle sèchement. « SOS ! SOS ! »

Elle se retourna brusquement et constata qu'il avait bien gribouillé un tas de deux et de zéro ; elle lui arracha le papier des mains pour le remettre devant le miroir et vit qu'à l'envers ça donnait bien SOS.

— Pourquoi tu me demandes ça ? dit-elle soupçonneuse

— C'est pas moi, c'est Cora qui a écrit ça sur sa fenêtre.

— Cora, c'est qui Cora ?

— Bah ! La jeune-fille d'en face. Je l'appelle Cora parce que je ne connais pas son nom.

— Tu parles de celle qui s'est fait taper sur la tête l'autre jour ?

— Oui, oui, d'ailleurs ce matin elle s'est fait gifler très fort, et quand elle pleurait dans sa chambre, elle m'a vu à la fenêtre et elle a écrit ça !

— J'ai bien peur que ce soit plus sérieux qu'on ne pense, se dit Lou tout haut. Tu sais ce que ça veut dire SOS ? C'est pour appeler au secours.

— Ah bon ? Alors on doit l'aider ! Qu'est-ce qu'on peut faire ? demanda-t-il.

— Je ne sais pas justement, je vais y réfléchir parce que les parents n'aiment pas que tu épies les voisins par la fenêtre. Sur ce, elle partit dans sa chambre.

— Je sais, soupira Luc. Mais si elle a besoin d'aide, on doit faire quelque chose. J'ai une idée ! s'écria-t-il. Je vais appeler mes copines, elles auront sûrement la solution.

Luc entretenait depuis quelques mois une véritable amitié avec les Sorcigentières. Il avait découvert la formule magique pour les faire venir, et s'en servait souvent. Mais comme il ne lui manquait rien, c'était juste pour papoter avec elles. Ravies d'être appelées pour le plaisir, elles venaient à deux ou trois danser au-dessus de son lit, faire des pitreries et des cabrioles, jusqu'à ce qu'il s'endorme.

— Agabatur, Ruob Manipot, dit-il.

Malypense et Escagasse, un peu étonnées que Luc les convoque un matin au lieu du soir, se posèrent chacune sur une de ses épaules.

— blablabla, glouglouglou, dringdringdring, dirent-elles en chœur et en riant

— Non les amies, cette fois-ci c'est du sérieux. J'ai besoin que vous aidiez quelqu'un.

Il les entraîna vers la fenêtre et leur expliqua :

— Il y a un signe là, au cinquième étage, vous voyez, où les rideaux sont tirés. Une jeune-fille a écrit SOS, ç'est un appel au secours, dit Luc tout fier d'étaler ses nouvelles connaissances.

— Merci mon garçon, nous savons ce qu'est un SOS, je te rappelle que nous y répondons sans cesse.

— Ah oui, c'est vrai ! Alors que pouvez-vous faire pour elle ? Moi je suis trop petit, et mes parents ne veulent pas que je me mêle des affaires des autres.

— Nous y allons de ce pas, elle sera en sécurité avant ce soir, nous te le promettons.

Effectivement, les Sorcigentières volèrent au-dessus de la rue et passèrent à travers les carreaux pour redonner espoir à la jeune-fille. Cora s'appelait en fait Yébé, avait 19 ans, et venait du Mali. Elle était au service d'un couple très riche qui l'exploitait pour tout l'entretien de la maison, douze heures par jour, sept jours par semaine, avec pour seule récompense le droit de manger les restes. Elle lavait les sols carrelés, les vitres, le linge, la vaisselle, faisait la cuisine, le repassage, cirait les parquets, battait les tapis, et tant d'autres choses encore. Si elle avait le malheur de laisser une tache sur une assiette ou une miette sur le sol, elle était battue.

Quand il était enfin l'heure d'aller se coucher, elle était si fatiguée qu'elle ne pouvait même plus pleurer. Elle était prisonnière, n'avait le droit ni de sortir, ni de répondre au téléphone, ni de parler à qui que ce soit. Et comme elle ne savait pas écrire, dès qu'elle avait aperçu ce petit garçon à la fenêtre, tout ce qu'elle avait su faire c'était ce SOS qu'elle avait vu à la télévision. La pauvre était allongée sur le lit, toute endolorie tellement sa maîtresse l'avait tapée.

Pour ne pas la réveiller, Malypense et Escagasse se firent des messes basses. Elles pensaient avoir trouvé une solution. Elles s'installèrent parmi les fleurs du grand balcon de l'appartement, et guettèrent les passants. Quand le moment fut propice, elles firent basculer une jardinière par-dessus bord, qui alla s'écraser juste devant un groupe de quatre policiers qui faisaient une ronde dans le quartier. Ceux-ci, furieux d'avoir failli être blessés, décidèrent de monter voir les propriétaires pour leur rappeler qu'il était interdit d'accrocher des fleurs à l'extérieur des balcons. Madame Harpie leur ouvrit la porte et les invita au salon. Elle avait un visage très antipathique, fardé à outrance, une coiffure en montagne et une voix aiguë à vous écorcher les oreilles. Les policiers la prirent en grippe immédiatement. Quand tout à coup ils entendirent des gémissements très faibles. Il ne leur fallut pas longtemps pour découvrir le pot aux roses, et quand ils redescendirent dans la rue, ce fut avec Madame Harpie pour l'emmener au poste, et Yébé pour la faire examiner à l'hôpital.

Escagasse et Malypense vinrent raconter l'heureuse fin de toute cette histoire à Luc, horrifié d'apprendre que des gens pouvaient être si méchants, et bien content d'avoir contribué à la sortir de là. Il n'eut pas l'occasion de rencontrer Yébé, mais celle-ci, après avoir été aidée par une assistante sociale et placée dans une bonne maison, n'oublia jamais ce petit garçon dont elle ne connut pas le nom, persuadée que c'était lui qui avait appelé la police. Et après tant d'années de malheur, elle se dit qu'elle avait eu beaucoup de chance que quelqu'un la remarque.

Dame sans Roi

Patrick Fournier a grandi dans une famille où seul le travail comptait. Aîné de six enfants, il secondait ses parents dans toutes leurs tâches, et n'avait le droit de s'amuser que s'il ne restait rien à faire. Autant dire que ça n'arrivait presque jamais. Devenu adulte, quand il s'est marié avec Sophie et qu'ils ont eu Raphaël, leur premier enfant, il s'est juré de faire autrement. Puis il y eut Rachel, sept ans plus tard, et Patrick s'occupait de tout à la maison pour être sûr que ses enfants profitent de leur jeunesse. Forcément, en évitant un excès, il est tombé dans l'autre.

Mais c'était un papa formidable. Quand Raphaël avait demandé une balançoire dans leur jardin, il l'avait faite lui-même. Quand Rachel avait cassé une poupée, il la réparait. Quand ils voulurent une cabane perchée dans un arbre, Patrick leur a fabriqué un mini chalet avec une vraie échelle pour y accéder. Il faut dire qu'il était très doué avec ses mains. Quand Sophie était fatiguée, il faisait à manger et s'occupait des enfants. Et comme elle n'aimait pas conduire parce qu'elle avait peur, c'était toujours lui qui faisait les courses, qui emmenait les enfants à la piscine, au cinéma ou chez le docteur, et la famille en vacances. Une fuite à la maison, c'était Papa qui la réparait ; la voiture avait un problème, il le résolvait ; la télévision était en panne, il trouvait le moyen de la refaire marcher. Et quand l'un ou l'autre de ses enfants, ou même sa femme, lui proposait de l'aider, il protestait vigoureusement :

— Mais non, mais non, je m'en occupe, tout va bien merci.

Ou encore :

— Pas de problème, j'ai presque fini.

De fil en aiguille, à force de toujours tout faire tout seul, il n'avait aucune patience pour leur montrer quoi que ce soit car il pensait que ça irait plus vite en le faisant lui-même, ni aucune confiance dans leurs capacités puisqu'ils ne connaissaient pas grand-chose. Au point que si l'un d'entre eux s'aventurait à vouloir accrocher un tableau ou réparer quelque chose, il se précipitait pour le faire à sa place en disant :

— T'occupes, je vais le faire.

Ou

— Attends, c'est pas comme ça, laisse, je m'en charge.

Finalement, femme et enfants, loin de s'en plaindre, s'en accommodèrent puisque ça semblait lui faire plaisir et leur évitait à tous bien des efforts. Mais s'évertuer à devenir indispensable est une grave erreur, car rien n'est jamais acquis.

Effectivement, alors que Raphaël allait sur ses dix-huit ans et que Rachel en avait presque onze, le malheur arriva : Patrick, en rentrant du travail, fut victime d'un grave accident de voiture, et privé de l'usage de ses jambes. Emmené aux urgences de l'hôpital le plus proche, les docteurs avaient fait tout ce qu'ils pouvaient, mais aucun d'entre eux ne pouvait encore dire s'il lui serait possible de remarcher un jour. En tout cas, il lui faudrait rester plusieurs semaines à l'hôpital, voire plusieurs mois.

Alors la vie chez les Fournier bascula. A trop vouloir protéger sa famille, Patrick l'avait fragilisée, rendue vulnérable. Croyant bien faire, il n'avait jamais forcé sa femme à conduire, si bien qu'elle avait peu à peu perdu confiance en elle. Pour éviter des efforts à son fils, il ne lui avait appris ni à tondre ni à tronçonner du bois pour l'hiver, ni même à percer un trou, c'est tout juste s'il savait planter un clou et changer une ampoule.

Quant à Rachel, sa mère la trouvait trop jeune et s'occupait de tout sans jamais lui demander de l'assister.

Ils réalisèrent tous les trois qu'ils étaient totalement dépendants de lui, et se sentirent complètement démunis, comme s'il leur manquait un bras à chacun. Et le pire, c'est qu'il était trop tôt pour dire s'il s'agissait seulement d'une épreuve à surmonter, d'un mauvais moment à passer, ou si Patrick allait passer le reste de ses jours dans un fauteuil roulant. La seule chose positive dans leur détresse, était que les frais médicaux étaient entièrement couverts par les assurances, et le salaire de Patrick maintenu, car il n'était aucunement responsable de l'accident. Le budget familial était donc intact.

Sophie, courageuse, se dit que ce n'était vraiment pas le moment de craquer, et qu'il était temps de reprendre les choses en main. Elle fit une liste de tout ce qui allait poser problème et réunit ses enfants pour leur parler :

— Rachel, Raphaël, vous réalisez certainement comme moi qu'il va falloir qu'on s'organise pour que la vie continue comme avant. Votre papa a besoin qu'on l'encourage, et surtout pas de savoir qu'on n'est pas capable de se débrouiller sans lui. Alors on va se serrer les coudes, et se partager les tâches. Raphaël, toi et moi allons nous inscrire à l'auto-école, moi pour être capable de vous conduire à l'hôpital, et toi pour commencer le code et te préparer à passer ton permis. En attendant, nous prendrons les transports en commun pour aller voir votre père. Pour les travaux de jardin, nous demanderons à notre voisin Stéphane de nous expliquer le fonctionnement et l'entretien de la tondeuse, et tu t'en chargeras. Rachel, dorénavant, tu m'aideras à faire la cuisine et je vais te montrer comment te servir du lave-vaisselle, du lave-linge et du sèche-linge pour que tu puisses le faire toute seule.

— Et les courses, qui va s'occuper des courses ? demanda Raphaël

— Et bien je peux quand même conduire pour faire trois kilomètres jusqu'au village, mais vous viendrez avec moi pour m'aider et peut-être que nous ferons plus de stock pour y aller moins souvent. Et puis on verra au fur et à mesure, il n'est pas question de paniquer maintenant. Et je sais que nous pouvons compter sur votre oncle Éric si nous avons un gros problème.

Gagnés par l'énergie de leur mère, Raphaël et Rachel comprirent qu'il était temps pour eux d'apprendre un certain nombre de choses, et promirent de la soutenir dans tout.

— Maman, tu seras la reine et nous serons comme tes abeilles alors, dit Rachel

— C'est un peu ça ma chérie.

Heureusement, ils étaient très soudés et Raphaël assez grand pour réaliser que s'ils avaient eu une vie bien facile jusque-là, il lui faudrait à présent assumer un rôle plus adulte et oublier les sorties avec ses copains.

Mais Rachel avait terriblement peur que son papa ne puisse remarcher. Alors un soir, juste après s'être couchée et parce qu'elle avait besoin de croire aux miracles, elle prononça tout bas une formule magique :

— Agabatur, Ruob Manipot

Fouillassonne répondit à son appel :

— Rutabaga, Topinambour, mon sang ne fait qu'un tour, je vole à ton secours.

— Petite Sorcigentière, s'il te plaît, fais en sorte que mon papa puisse remarcher bientôt.

— Je te promets de faire tout ce que je peux mais je ne peux pas te dire quand ça arrivera exactement, lui répondit-elle, n'ayant pas le courage de lui avouer que ce n'était pas dans ses pouvoirs.

Cependant, pour tenir sa promesse, elle vola vers l'hôpital et s'efforça d'insuffler à Patrick la force de lutter, l'énergie indispensable pour refuser de s'avouer vaincu, et se battre sans relâche pour retrouver l'usage de ses jambes. Effectivement, quand les séances de rééducation commencèrent, les médecins étaient surpris par son courage et sa ténacité. Au bout de quelques semaines, ils osèrent même lui confier, ainsi qu'à son épouse, qu'il y avait bon espoir étant donné ses progrès.

Pendant ce temps, la vie à la maison s'organisait plutôt bien. Raphaël avait mûri d'un coup. Il se sentait plus responsable, comme grandi de pouvoir aider sa mère. Et Rachel faisait de son mieux pour être utile, pour être une bonne abeille comme elle disait. En fait, elle aimait bien faire comme sa maman, et quand elle avait réussi à faire quelque chose toute seule, elle était très fière. Quant à Sophie, elle avait fini ses leçons de conduite, qui était un secret entre elle et ses enfants, et se sentait beaucoup plus sure d'elle-même. Alors un soir, elle décida qu'elle se sentait capable de les emmener à l'hôpital et de faire la surprise à son mari. Ils passèrent un moment en sa compagnie, et quand Patrick regarda sa montre, il leur dit :

— Vous devriez partir maintenant, sinon vous allez rater le bus.

— Pas besoin de bus, c'est maman qui nous a conduit, s'écria Rachel, pressée de vendre la mèche

— C'est vrai ça ?

— Non seulement c'est vrai, mais dorénavant, ce sera comme ça chaque soir, lui répondit sa femme, rose de plaisir. Et elle lui parla des leçons qu'elle avait prises.

Puis vint l'heure où il fallait vraiment qu'ils rentrent, alors ils l'embrassèrent tendrement et partirent.

Quand Patrick était seul dans sa chambre, il réfléchissait

beaucoup. Cela faisait un moment qu'il avait constaté la différence avec ses enfants. Maintenant, c'était sa femme qui prenait de l'assurance. Même si son amour-propre était un peu blessé de voir que son petit royaume tournait si bien sans lui, il était fier d'eux, et admettait que ça l'avait beaucoup aidé à garder le moral.

Et il comprit son erreur. Il se dit qu'en fait, la meilleure façon d'élever un enfant était de le rendre assez fort et débrouillard pour qu'il soit autonome. Et il redoubla d'énergie pour pouvoir rentrer le plus vite possible.

Quand il fut capable de marcher avec des béquilles et d'avoir des soins à domicile, Sophie vint chercher son mari avec Raphaël et Rachel, et ils rentrèrent enfin tous ensemble. Rachel avait décoré la maison et fait un gâteau, et Raphaël avait aidé sa mère à réorganiser un peu le rez-de-chaussée pour que tout soit facile d'accès. Et peu à peu la vie reprit son cours normal. Avec toutefois une différence de taille. Quand Sophie le conduisait quelque part, même s'il était un peu nerveux d'être passager pour la première fois de sa vie, il se contrôlait pour ne pas lui faire des commentaires. D'ailleurs, elle se débrouillait fort bien, et s'avérait beaucoup plus prudente que lui, ce qui n'était pas un mal étant donné ce qu'il lui était arrivé. Et quand l'un ou l'autre se précipitait vers Patrick pour l'aider à se relever ou à monter les marches, ou faire quelque chose de ses deux mains, il se mordait la langue pour ne pas répondre :

— Laisse, je vais le faire ;

Ou alors :

— Attends, j'y arriverais bien tout seul.

Finalement, c'est tellement mieux de partager les corvées au lieu de tout faire tout seul !

Mimosa et Papillon

Maïlys était une petite fille comblée. Elle avait des parents drôles et affectueux, et une grande sœur, Ambre, qui l'adorait. Cependant, elle n'était pas tout à fait comme la plupart de ses copines d'école parce qu'elle n'avait pas de grands-parents chez qui aller le mercredi ou pendant les vacances. Alors, comme les gens ont cette affreuse tendance à se comparer aux autres pour voir ce qui leur manque plutôt que ce qu'ils possèdent déjà, Maïlys s'était fabriqué sa propre infortune. S'il manquait dans sa vie quelque chose que personne ne puisse lui apporter, elle ne pouvait être totalement heureuse.

La raison était simple, mais irréversible. En effet, sa mère, Maéva, était née à Nouméa, en Nouvelle Calédonie, où elle avait grandi et fini ses études. Mais quand elle avait rencontré son père, en voyage pour affaires, elle avait quitté son pays pour le suivre, laissant derrière elle des parents peu tentés d'en faire autant.

Quant à Bruno, plus âgé qu'elle de douze ans et fils unique, il n'avait déjà plus ses parents. Alors à l'âge où souvent les enfants commencent à réclamer une petite sœur ou un petit frère, elle avait commandé un Papy et une Mamy au père Noël, mais ils n'étaient pas au rendez-vous.

Ses parents, conscients de ce vide et désolés pour elle, lui avaient expliqué qu'on pouvait agrandir une famille du côté des plus petits, mais en aucun cas du côté des seniors. Maïlys s'obstinait. Elle ne voulait pas de compagnie plus jeune, puisqu'elle avait un tas de poupons et poupées pour lesquelles elle était à tour de rôle la maman ou la grand-mère.

Alors pourquoi tenait-elle tant à avoir des grands-parents ? Parce qu'elle avait entendu dire qu'ils gâtent leurs petits-enfants, qu'ils ont plein de temps pour jouer car ils ne travaillent pas, qu'on peut parfois tricher avec eux parce qu'ils ne voient pas tout, et qu'ils se fâchent beaucoup moins puisqu'ils n'ont pas à s'occuper d'eux tous les jours et sont là seulement pour le plaisir.

Les Sorcigentières, qui avaient eu vent de cette frustration, décidèrent de pousser Greluche à résoudre la situation, agacées de voir que celle-ci en faisait de moins en moins. Entre deux bâillements, Greluche se gratta la tête, pour secouer un peu ses méninges.

Voyons, voyons, se dit-elle. Je ne peux pas lui créer des grands-parents, car ce sortilège ne durerait pas. Je ne peux pas transformer ses parents en grands-parents car alors elle serait malheureuse de ne plus les voir.

Elle se mit à survoler la ville, en quête d'un vieux monsieur et d'une vieille dame qui feraient l'affaire. Mais la tâche n'était pas simple. Il y avait toujours quelque chose qui clochait. Ceux-ci avaient un air rébarbatif, ceux-là avaient cinq enfants, huit petits-enfants, et même deux arrières petits-enfants. Ensuite elle vit un couple qui marchait péniblement bras-dessus bras-dessous et semblait très tendre, mais ils étaient trop vieux à son goût. C'est que Maïlys était toute jeune, il lui fallait un Papy et une Mamy pour beaucoup d'années ! Elle aperçut un autre couple qui paraissait plus alerte, mais en s'approchant, elle les entendit se disputer comme chien et chat. C'est tout juste s'ils se supportaient l'un l'autre.

— Des teigneux, je n'ai pas besoin de ça ! songea-t-elle.

Puis elle croisa une très belle dame aux cheveux gris qui faisait ses courses, mais après enquête, Greluche apprit qu'elle était veuve. Or il lui fallait une paire ou rien du tout.

— Tout ça est bien fatigant, soupira-t-elle. Je vais piquer un somme, je verrais peut-être plus clair après.

— Alors ces recherches, ça avance ? lui demandèrent ses consœurs à son réveil.

— J'y travaille, j'y travaille. Je suis sur un coup mais j'ai des détails à fignoler, mentit-elle de façon éhontée.

— Mouais ! Tu m'as plutôt l'air de te reposer sur tes lauriers, dit Malypense. Je te rappelle que c'est urgent, la petite attend déjà depuis des années.

— Bah Justement ! Quelques semaines de plus n'y changeront rien, argua Greluche.

— Des excuses, toujours des excuses pour éviter les efforts, lui dit Escagasse. Décidément tu ne changeras jamais !

Un peu vexée, Greluche reprit ses recherches. Cette fois-ci

elle s'éloigna davantage de la ville pour survoler la campagne. Quand tout à coup, elle passa juste au-dessus d'une maison de retraite, au milieu d'un parc magnifique.

— Mais c'est parfait, pensa-t-elle tout haut. Voici exactement ce qu'il me faut, un nid de Papys et Mamys ! Il n'y a plus qu'à choisir !

Plus facile à dire qu'à faire, ce n'est pas parce que des personnes âgées sont réunies au même endroit qu'elles peuvent devenir des grands-parents pour une totale inconnue, aussi mignonne soit-elle. Greluche arrivait à la limite de ses capacités. Elle estimait avoir accompli sa mission en trouvant des candidats potentiels, mais comment faire le lien entre eux et Maïlys dépassait son entendement. Elle s'en retourna consulter les Sorcigentières. Celles-ci admirent que Greluche avait fait des progrès, et acceptèrent de prendre le relais.

Bisbille, qui n'était pas casanière comme Greluche et adorait voyager, était toujours au fait des derniers usages en pratique. Elle leur parla de ces communes qui organisaient des rencontres seniors-juniors, et toutes trouvèrent l'idée parfaitement appropriée. Alors elles se répartirent les tâches. Malypense profita du sommeil de la Directrice de la maison de retraite pour lui souffler dans l'oreille qu'elle ferait bien d'ouvrir ses portes aux plus jeunes pour animer davantage sa pension. Madame Tisane avait pour elle d'aimer son métier et d'avoir un établissement impeccable, mais elle était très traditionnelle et n'aurait jamais su quoi innover. Pour cette raison, quand elle s'éveilla le lendemain matin, elle fut la première surprise d'avoir une idée qu'elle trouvait formidable. Elle allait réunir, parmi ses pensionnaires les plus alertes, ceux que personne ne venait jamais voir, et malheureusement il y en avait pas mal, pour leur proposer de garder les enfants dont les deux parents travaillaient. Ils pourraient les occuper, les aider avec leurs devoirs, et de ce fait, se sentiraient entourés de jeunesse.

Fouillassonne fit la même chose auprès de la Directrice de l'école primaire. Madame Cenmilvolts, était tout le contraire de Madame Tisane. Elle débordait d'énergie, cherchait toujours à connaître les dernières activités à la mode pour les enfants, et testait souvent de nouvelles méthodes d'apprentissage. Aussi le même matin, lui semble-t-il tout naturel de programmer une réunion avec les parents d'élèves afin de savoir combien seraient intéressés par l'idée de confier leurs enfants le mercredi à des seniors, au bénéfice de tous. Comme elle faisait aussi partie du Conseil d'Administration de la commune, elle allait se charger de faire passer le message. Il faudrait sûrement une participation des parents, un ramassage scolaire supplémentaire, mais ces détails devaient pouvoir se résoudre facilement.

Maéva, qui était présente lors de cette réunion, vit tout de suite que ce serait une très bonne solution pour sa petite fille. En rentrant à la maison, elle résuma ce projet à son mari qui réagit avec le même enthousiasme qu'elle, et ils décidèrent d'en faire une surprise pour Maïlys. Le temps que tout se mette en place, et le mercredi de la première rencontre arriva. Maéva avait pris sa matinée pour accompagner sa fille. Maïlys était curieuse, elle ne cessait de lui demander où elles devaient se rendre. Mais sa mère lui répondait invariablement « Tu verras, tu vas savoir dans très peu de temps ». Arrivées devant la Maison de repos, elles rejoignirent un petit groupe de parents et d'enfants de tous âges qui parlaient avec Madame Tisane et Madame Cenmilvolts. Maïlys, qui venait de comprendre que c'était là l'occasion de se trouver un Papy et une Mamy, débordait de joie et sauta au cou de sa mère pour la remercier.

Une fois à l'intérieur, la Directrice prit un micro et prononça un très joli discours de bienvenue aux enfants. Les seniors avaient été préparés à l'idée, alors ils s'étaient mis sur leur trente et un. Pour l'occasion, on avait sorti tous les vieux jeux qui existaient, des jeux de cartes un peu jaunis, des dames, les petits chevaux, un jeu de l'oie, un scrabble, et même un vieux nain jaune. Certains avaient des livres, d'autres des vieilles peluches, on avait un stock de papier, de crayons, de colle et de ciseaux, bref, il y avait de quoi occuper les enfants pendant quelque temps. Et puis, s'il manquait quelque chose, on y pourvoirait au fur et à mesure. Après tout, ce n'était que la première journée, on avait droit à quelques erreurs.

Une fois la glace un peu dégelée, les enfants s'éparpillèrent au milieu des plus grands, et se mirent à leur parler comme s'ils les avaient toujours connus. Les parents rassurés purent s'en aller.

Au fil du temps, des groupes se sont formés, un peu comme

des familles, car tout naturellement chacun avait son ou sa préférée. Maïlys avait craqué pour Pierrette, une dame très mince et droite, aux mains toutes noueuses, aux cheveux blancs comme neige tirés en chignon sur le haut de la tête, des yeux bleu acier, et des rides dans tous les sens qui lui donnaient l'air de sourire tout le temps. Elle adorait les fleurs, et son mari bien sûr, qu'elle avait la chance d'avoir encore avec elle. René, un monsieur bien enveloppé, avec une moustache et des cheveux argentés et des yeux bruns, était très bavard et blaguait beaucoup. Sa passion à lui était de collectionner les insectes.

Et c'est ainsi que tous les mercredis, et même parfois le samedi, Maïlys rendait visite à ses nouveaux 'grands-parents'. Pierrette faisait des puzzles avec Maïlys, ou jouait aux sept familles avec elle, et René lui racontait un tas d'histoires de son passé. On n'aurait sur démêler le vrai du faux, mais qu'importe, Maïlys était transportée à chaque fois et avait l'impression de faire le tour du monde avec lui. Pour les devoirs, Pierrette aidait avec le français et René avec les mathématiques. Avec eux, Maïlys trouvait ça presque amusant. Tant et si bien, qu'au bout de quelques semaines, ils commençaient à bien se connaître, et attendaient tous les trois le mercredi avec impatience.

Maïlys avait une envie qui la démangeait. Comme elle était très polie, il fallait qu'elle leur pose la question :

— Est-ce que je pourrais vous donner un petit nom à chacun rien que pour moi ? dit-elle

— Tu veux dire comme Papy et Mamy ? demanda Pierrette

— Oui mais pas comme tous les autres, répondit Maïlys

— Aurais-tu une idée derrière la tête ? lui demanda René qui savait lire en elle.

— Bah ! en fait, comme Pierrette adore le jaune et les fleurs, j'avais pensé à Mimosa et toi René, puisque tu aimes les insectes, à Papillon. Mais seulement si vous êtes d'accord bien sûr, dit-elle tout timidement.

Tous deux se regardèrent, attendris et enchantés de ces surnoms fort poétiques.

— C'est d'accord, lui dirent-ils en chœur.

Bruno et Maéva, qui avaient aussi fait la connaissance de René et Pierrette, s'y attachèrent très rapidement. Après tout, eux aussi savaient apprécier le calme et la sagesse de leurs aînés. Alors désormais, on invita régulièrement Mimosa et Papillon à déjeuner le dimanche, ce qui leur faisait une sortie, et Maïlys, qui avait toujours rêvé d'une grande famille, dressait la table pour six couverts avec beaucoup de fierté, le cœur rempli de bonheur.

Cette fois-ci, pensait-elle, tout est parfait, je n'ai plus besoin de rien.

Un destin tout tracé

Fauve n'est pas ce qu'on pourrait appeler une jolie petite fille, mais elle a ce style de charme qui vous fait facilement craquer. Elle a un visage assez rond, des yeux couleur noisette avec de grands cils recourbés, des cheveux auburn tout frisés qui lui tombent aux épaules, et plein de taches de rousseur sur le haut des joues qui lui donnent un air fripon. Quand elle sourit, son petit nez légèrement retroussé se plisse, et ses yeux pétillent de vitalité. Venue neuf ans plus tard que Fabien, l'aîné, et sept ans plus tard qu'Océane, la cadette, Fauve a maintenant 12 ans.

Comme dans plein de familles, ses parents, Frank et Muriel, ont été plus détendus avec elle qu'avec le premier enfant, laissant passer plus de choses, et comptant involontairement sur les plus grands pour lui montrer le chemin. En bref, ils ont été bien moins sévères et exigeants avec elle. Le résultat était que Fauve avait une personnalité très différente de ses frère et sœur. Fabien depuis tout petit avait été sérieux dans ses études, et choisit très tôt de devenir vétérinaire, une carrière que ses parents considéraient comme honorable. Concernant Océane, ils avaient misé sur son excellente mémoire et ses très bons résultats en Lettres, pour la pousser à devenir avocate. Elle était donc 'naturellement' entrée en

Faculté de droit. Pour un Papa chirurgien et une Maman Directrice du personnel d'une entreprise, c'était tout à fait satisfaisant. Ils avaient tous les deux des idées bien arrêtées concernant le devenir de leurs enfants. Toutes avaient d'ailleurs en commun la notion de prestige. Ils auraient une carrière prestigieuse, épouseraient une personne prestigieuse, et auraient forcément des enfants prestigieux. La notion de bonheur n'avait pas sa place dans leur conception de la vie, le seul chemin à suivre étant celui de la réussite.

Et sur ce plan, Fauve les laissait perplexes. Elle était bonne dans toutes les matières de façon égale, passait d'une classe à l'autre sans difficulté alors qu'elle ne faisait qu'un minimum d'effort à la maison ; mais il était impossible de déceler en elle un talent particulier, ce fil conducteur dont les parents avaient besoin pour tracer sa route. Oh ! Bien sûr, elle avait une propension à faire rire les autres qui n'avait pas de limite, car elle avait le don d'imiter ce qu'elle voulait, un très bon sens de l'humour, et une façon unique d'inventer et de raconter des histoires. Mais tout ça n'était pas sérieux.

Pourtant, depuis qu'elle avait commencé le théâtre à l'école, Fauve rêvait de devenir comédienne. Mais elle n'en parlait guère à la maison car à sa première tentative, elle avait été sévèrement rabrouée par sa mère :

— Enfin Fauve, tu n'y penses pas, ce n'est pas un métier ça, c'est une vie de saltimbanque !

… comme par son père :

— On ne gagne pas sa vie sur les planches, tu seras sans

travail comme tous ces crève-la-faim !

Elle connaissait suffisamment ses parents pour savoir que ce n'était pas la peine d'insister. Alors elle cultivait toute seule son petit jardin secret, et confiait ses aspirations à Lise, sa meilleure amie, et à son professeur, Madame Ridot. Celle-ci la trouvait particulièrement douée et l'encourageait fortement à continuer cette activité. Elle avait connu tant d'enfants dont le devenir était déterminé par les parents à l'encontre de leurs désirs, ou qui refusaient de leur reconnaître un talent sous prétexte qu'il ne leur convenait pas.

Alors il fut convenu entre Fauve et ses parents, qu'elle aurait le droit de faire du théâtre tant qu'elle aurait de bons résultats scolaires. Les devoirs avant tout, et pas question de redoubler une classe. Fauve, pour qui jouer la comédie valait tous les sacrifices du monde, se mit plus sérieusement à ses études afin d'assouvir sa passion. Les années passèrent, les parents tinrent parole et leur fille aussi. Ils commençaient enfin à percevoir, au vu de ses résultats, qu'elle serait probablement excellent professeur de lettres à l'Université.

Pendant ce temps, Fauve continuait à suivre ses cours de théâtre avec Lise, et toutes deux faisaient une grande représentation par an. Les parents de Lise étaient enthousiastes sur le sujet car le théâtre avait aidé leur fille, affreusement timide au départ, à dépasser ses peurs, à s'exprimer plus facilement, et surtout à être à l'aise avec les autres comme avec elle-même. Mais pour Frank et Muriel, il n'était pas question d'assister à ces bouffonneries, persuadés que son goût pour 'faire le pitre' comme ils disaient, n'était qu'une toquade qui passerait avec le temps. Ce en quoi ils se trompaient largement.

Les deux filles ont élargi leur répertoire. Elles ont pu endosser des rôles classiques, jouer des comédies légères ou des pièces contemporaines. Chaque fois, Fauve se distinguait par sa diction haute et claire, son jeu naturel, les mouvements gracieux de son corps. Elle avait le don de vous entortiller autour de son doigt, et de vous faire passer du rire aux larmes en quelques phrases et quelques mimiques. Lise était admirative mais pas jalouse pour deux sous, car pour elle il ne s'agissait que d'un loisir. Fauve était littéralement transportée sur une scène. Elle se fondait dans ses personnages, elle vivait leur histoire comme si c'était la sienne. Et quand venait le moment de saluer, et que les adultes assemblés se mettaient à applaudir, son petit cœur battait très fort dans sa poitrine, c'était sa plus belle récompense.

Pourtant, ce moment-là était toujours obscurci par une ombre qui la chagrinait. Elle était la seule dont les parents étaient absents, la seule à rentrer chez elle non accompagnée. Comme elle aurait aimé leur montrer qu'elle aussi était capable de quelque chose, même si ça ne correspondait pas à leur idée d'une carrière ! Elle ne comprenait pas pourquoi ils s'obstinaient à désapprouver ses choix. Après tout, n'était-il pas plus important d'être heureux dans son métier que d'y aller en traînant les pieds ? De se lever tout joyeux de retrouver ses collègues au lieu de soupirer à l'avance et de se lamenter ?

Alors, à deux semaines du spectacle de fin d'année, Lise, qui voyait souvent Fauve essuyer discrètement ses larmes, se promit de faire bouger les choses. De retour chez elle, même si elle était un peu grande pour ça, elle sortit tout un tas de livres qu'elle avait conservés de son enfance, pour retrouver une formule magique dont elle se souvenait vaguement et qui devait pouvoir l'aider. Elle finit par mettre la main sur le bon livre, et après avoir parcouru fébrilement plusieurs pages, elle trouva ce qu'elle cherchait.

— Agabatur Ruob Manipot, prononça-t-elle tout bas

Sitôt dit, sitôt fait, Malypense se posa sur son épaule et lui dit :

— Rutabaga, Topinambour, mon sang ne fait qu'un tour, je vole à ton secours. Que puis-je pour toi mon enfant ?

— Oh ! C'est ma meilleure amie, elle a un gros chagrin, répliqua Lise, ravie de voir qu'elle ne s'était pas trompée de formule.

Et elle se mit à lui expliquer toute la situation.

— Voilà ! Tout ce que je demande, c'est que les parents de Fauve viennent assister à notre dernier spectacle, dit-elle.

— Ça doit pouvoir s'arranger, lui dit Malypense. Ne te tracasse pas, je m'occupe de tout.

Malypense passa la semaine suivante à susurrer des messages dans les oreilles des professeurs, leur dictant quelle conduite adopter. Alors ceux-ci se mirent à écrire une lettre aux parents de Fauve, les enjoignant à venir assister aux festivités de fin d'année, sous prétexte d'avoir à leur parler de leur fille. Inquiets, ceux-ci réservèrent la date dans leur agenda, non sans avoir demandé à Fauve si elle avait eu des problèmes à l'école, ce à quoi elle répondit par la négative.

Le jour en question arriva. Fauve ne se doutait de rien car son amie ne l'avait pas mise dans la confidence, espérant avant tout qu'elle aurait une heureuse surprise. La pièce à jouer était un drame classique assez difficile car le personnage principal, interprété par Fauve bien sûr, avait beaucoup de texte à connaître par cœur, et beaucoup de changement d'humeur à composer sur scène. Fauve avait un peu le trac. C'était vraiment un grand rôle. Les parents s'installèrent sur les sièges d'école, et se défirent de leurs manteaux car il commençait déjà à faire chaud. Puis les lumières s'éteignirent, et dans le noir les discussions s'évanouirent peu à peu. Vinrent les fameux trois coups qui précèdent toute pièce de théâtre, puis le lever du rideau, composé pour l'école par des draps cousus entre eux.

La scène était encore plongée dans l'obscurité quand les projecteurs vinrent tout à coup se concentrer sur la seule personne présente dans un décor de salon bourgeois. Fauve, dans un rond de lumière, se tenait toute droite dans une longue robe à traîne bleu ciel qui faisait ressortir ses cheveux roux sombre. Elle portait un maquillage discret, bleu pâle et brillant sur les paupières, et un rose très léger sur les lèvres. Sa tête était ceinte d'une couronne de perles nacrées, dont une en forme de goutte retombait au milieu du front. Et sur son décolleté se détachait un pendentif bleu nuit entouré de brillants. Elle était majestueuse. Elle faisait beaucoup plus que son âge ainsi costumée. On aurait dit une princesse des temps anciens. Après un long murmure d'admiration, Fauve récita sa première tirade, et le silence se fit total. Le public était attentif.

C'était une de ces tragédies aux sentiments exacerbés, mais le drame était si intense, et la comédienne si convaincante, que certains essuyaient une petite larme de temps en temps. La pièce finie, les cinq acteurs impliqués s'avancèrent pour saluer, tandis qu'on entendait applaudissements et reniflements.

Frank et Muriel, qui s'étaient bien gardés de s'installer au premier rang, étaient mal à l'aise. Ils n'avaient, et pour cause, aucune idée que leur fille avait parcouru tant de chemin. Muriel, qui ne pouvait s'empêcher de lui reconnaître du talent, n'osa pas en parler à son mari, qui ne pipait mot. Ils allèrent la chercher dans la pièce où elle se changeait et furent arrêtés en chemin par les professeurs de français et de théâtre.

Cette dernière, qui ne mâchait pas ses mots, leur dit :

— Eh bien ! Il était temps, j'ai cru qu'on ne vous verrait jamais parmi nous. Alors, est-ce qu'elle n'est pas formidable votre fille ?

Muriel, sachant son mari incapable de formuler des compliments, prit la parole à sa place :

— Nous sommes très impressionnés, vous faites un excellent

travail avec vos élèves.

— C'est à votre fille qu'il faut dire ça, elle est le moteur de la troupe. Il n'y a pas de doute, elle a ça en elle ! Elle ira loin si on la laisse continuer.

— Elle pourra se divertir tant qu'elle veut du moment qu'elle continue ses études, dit Frank qui s'obstinait à voir le théâtre comme une bagatelle.

— Se divertir ! Se divertir ! s'exclama Madame Ridot, outrée. Pendant que les grands comédiens travaillent, c'est des gens comme vous qu'ils divertissent ! Que vous faut-il de plus pour la prendre au sérieux ?

— Un métier sérieux et des revenus sérieux, lui répondit-il d'un ton hautin.

Sur ces mots, Fauve apparut, en jeans, T-shirt et tennis, semblable à toutes les filles de son âge. A la vue de ses parents, elle devient cramoisie et ne sut que dire. Son père, contrarié qu'on lui fasse la morale, resta silencieux, mais sa mère lui caressa les cheveux et reconnut :

— Tu sais Fauve, je crois qu'on a raté beaucoup de choses toutes ces années !

Un corsaire à quatre pattes

 Maman, s'il te plaît, je voudrais tant avoir un petit animal rien qu'à moi, pleurniche Alice.

— Je sais, ça fait cent fois que tu réclames la même chose. Tu as voulu un singe, puis des perroquets, ensuite un husky, que des animaux qui ont besoin d'être en liberté. Alors aujourd'hui c'est quoi ?

– Bah ! Je crois que je serais très heureuse avec un tout petit chaton de rien du tout, balbutie Alice.

— Parce que tu crois que les chatons restent chatons toute leur vie ? Et qui va le nourrir et l'emmener chez le vétérinaire ? Qui va nettoyer sa litière ?

— Mais je saurais le nourrir moi, et peut-être qu'il ne sera jamais malade, et pour ses besoins, c'est promis, je le ferais toute seule.

— Ecoute Alice, tous les enfants veulent un animal, tous promettent de s'en occuper et en moins d'une semaine c'est les parents qui se retrouvent avec les corvées. Alors je ne veux plus que tu me poses la question, nous n'aurons pas un animal chez nous.

Alice pousse un gros soupir, elle a les larmes qui lui montent aux yeux, mais elle tient bon. Elle sait que sa mère a été patiente car elle a horreur qu'on réclame. Cependant, comme elle va avoir huit ans dans trois jours, elle voulait juste leur rappeler. Au cas où.

Depuis deux ans, quand la date de son anniversaire était proche, elle essayait d'appeler les Sorcigentières pour leur demander d'exaucer son vœu, mais la pauvre ne se souvenait plus très bien de la formule magique indispensable. Elle essaya encore une fois :

— Abagatur Ruob Panimot, Agabutar Roub Monipat, Bagatura Mobu Ranipot, Baturaga Nuob Maripot.

Peine perdue, il ne se passe rien. Le jour dit, Alice a encore quelques espoirs. Mais à la vue des paquets rectangulaires ou plats, elle voit bien qu'un petit chat ne pourrait y être caché. Et puis il n'y en a aucun qui bouge ou qui miaule. Alors tant pis, elle se dit qu'elle a sûrement des beaux cadeaux quand même, et que, peut-être, dans un an ou deux, ses parents changeront d'avis. Pour les cadeaux, elle ne s'est pas trompée, elle a encore été gâtée : une boîte de perles pour faire des bijoux, deux livres, un puzzle et un bonnet avec les gants assortis dans les tons rose et violet comme elle adore. Le sourire est revenu de suite. Ce qu'elle ne sait pas, c'est que notre fameuse Sorcigentière Escagasse a entendu ses vœux. La trouvant sincère et persévérante, elle a prévu de les exaucer malgré tout. Elle vole partout dans les environs à la recherche d'un chaton abandonné, et en trouve rapidement trois d'un coup dans la forêt, qui ne semblent pas avoir de maman. Elle choisit le plus clown d'entre eux et l'emmène pour le montrer à ses consœurs. Contre leur avis à toutes, elle lui met un gros ruban rose autour du cou pour qu'il ressemble à un cadeau d'anniversaire.

Le lendemain est jour de marché. C'est l'occasion d'une

promenade, un moment familial privilégié. Annick en profite pour montrer à sa fille des nouveaux légumes ou des fruits exotiques, et Henri parle avec les commerçants qu'il ne voit guère durant la semaine. Une fois les paniers chargés, ils font le chemin du retour. Quand la maison est en vue, Annick repère tout de suite le gros nœud fuchsia.

— Qu'est-ce que c'est que ça ? demande-t-elle

— On dirait un petit chat, répond Henri

A ces mots, Alice court vers le perron et découvre un chaton tout blanc, avec une grosse tache noire sur l'œil gauche et toute la patte droite, qui la regarde en penchant la tête de côté. Il a des yeux si attendrissants qu'ils ont l'air de dire : « Prends-moi, prends-moi ! »

Henri et Annick se concertent du regard. Le ruban leur paraît effectivement suspect.

— Alice, je pense qu'il s'agit d'un chat qui est perdu et qui appartient à quelqu'un.

— Oh ! Mais Maman, on ne peut pas le laisser dehors tout seul. On ne peut pas le garder en attendant ?

— On le nourrira le temps de retrouver ses maîtres, mais il restera dehors pour lui donner une chance de retourner chez lui, dit Henri. On mettra une affiche chez les commerçants pour que ses maîtres le récupèrent rapidement. Et si c'est le cas, il faudra nous en séparer sans crise de larmes. D'accord ?

— D'accord, c'est promis, répond Alice surexcitée.

Tous les matins, avant d'aller à l'école, et tous les soirs en rentrant, c'est elle qui place à boire et à manger sur la plus haute marche de leur escalier. Inutile de dire que le chaton a repéré le manège, il est présent à chacun de ces rendez-vous. Le soir, avant de se coucher, Alice s'exerce à retrouver la formule magique pour que le petit chat reste avec eux. Jusqu'à ce qu'un jour, par accident, elle arrive à placer les syllabes dans le bon ordre.

— Agabatur Ruob Manipot

Escagasse qui n'attendait que ça, se perche sur son épaule et lui dit :

— Rutabaga, Topinambour, mon sang ne fait qu'un tour, je vole à ton secours. Que veux-tu petite fille ? lui demande-t-elle alors qu'elle connaît la réponse.

Alice l'implore de faire en sorte que le petit chat ne manque à personne.

— Je pense que ça doit pouvoir se faire, soit patiente, dit Escagasse avec un sourire malicieux.

Effectivement, au bout de deux semaines, le chaton qu'on appelait toujours chaton pour ne pas trop s'y attacher, n'avait toujours pas été réclamé. Ayant constaté que leur fille assumait plutôt bien cette nouvelle responsabilité, les parents acceptent de l'adopter définitivement, à une condition :

— Alice, je crois que le chaton peut rester parmi nous, si tu t'en occupe toute seule comme une grande fille, et pas seulement pour le nourrir.

— Pour de vrai ? demande-t-elle sans oser y croire.

— Pour de bon, lui répond son Papa.

Alors, comme c'est l'heure de son petit déjeuner, Alice se rue dehors pour le chercher. Et le chaton est bien là, fidèle comme chaque jour. Elle l'apporte à l'intérieur, le pose sur ses genoux, et le petit se met à ronronner comme s'il avait toujours su que ce moment arriverait.

— Comment vas-tu l'appeler ? demande Annick

— Surcouf, à cause de son œil, on dirait qu'il porte un bandeau comme un pirate.

— Je vois qu'on n'était pas du tout préparée à l'idée de le garder, commente Henri avec un brin d'ironie. Mais c'est une très bonne idée.

Il racontait souvent des histoires de corsaires à sa fille et savait qu'elle les adorait.

— Tu vas essayer de penser à tout ce qu'il te manque pour Surcouf, et on ira au supermarché tout à l'heure. D'accord Alice ?

Alice se concentre, et se fait une liste mentalement. Dans le magasin, elle récite :

— Un bol pour manger et un bol pour boire on a déjà, il nous faut du lait, des croquettes pour chat, une caisse pour ses besoins et des cailloux. Elle hésite et ajoute : un panier et un collier peut-être aussi ?

— Pas mal ! Tu as juste oublié le râteau pour nettoyer la litière, sinon je crois que la liste est complète. C'est bien Alice.

Alice choisit un panier bleu marine au motif de coquillages blancs, puisque les pirates passent leur vie en mer, et un collier rouge vif, comme le foulard qu'ils portent autour du cou. Quand ils reviennent à la maison, où Surcouf était resté un peu trop longtemps tout seul dans la cuisine, il y a deux petits cadeaux pour eux, un qui sent vraiment très mauvais, et une petite flaque près de l'évier.

— Pouah ! C'est la totale ! dit Alice en se bouchant le nez. Puis elle pouffe de rire.

— Je m'en occupe, je m'en occupe.

— Bonne réponse Alice, dit sa mère.

Heureusement, le chaton a fait sur le carrelage. Alice va chercher du papier et jette le tout dans les toilettes, puis nettoie consciencieusement le sol. Pendant qu'elle s'acquitte de sa mission, les deux parents rient discrètement. Ils savent que ce n'est pas plus agréable pour Alice que ce ne le serait pour eux, mais ils se sont promis de ne pas céder. Surcouf est assis et observe tout ce que fait sa nouvelle maîtresse, la tête penchée sur le côté, comme il fait si souvent. Comment ne pas s'attendrir devant une petite boule de poils comme ça, et des yeux bleus pareils ?

Annick demande à sa fille :

— Alors, où va dormir ton corsaire ?

— Maman, est-ce qu'il peut dormir avec moi ?

— Si tu mets son panier sur le tapis près de ton lit, c'est d'accord. Mais je ne veux pas qu'il dorme dans ton lit. Compris ?

Oh, Alice a compris, mais allez expliquer ça à un chaton qui ne demande que de la tendresse et de la chaleur !

L'heure du coucher ayant sonné, Alice embrasse son papa et sa maman, les remercie encore très fort pour ce cadeau tant rêvé, et part dans sa chambre, son chaton sous le bras. Elle installe Surcouf dans son panier, et se glisse dans les draps. Mais elle a du mal à éteindre la lumière car il s'est mis à jouer avec sa queue, et tourne autour de lui-même pour essayer de l'attraper. Ce qu'il est mignon ! Finalement le sommeil la gagne. En passant devant sa chambre, Annick jette un œil pour voir si tout va bien, mais elle remarque aussitôt que le panier est vide. Surcouf s'est lové contre le cou de sa fille, sa tête sur l'oreiller tout comme Alice. Elle le prend délicatement et le recouche dans son panier, non sans petits cris plaintifs de désapprobation. Sitôt les talons tournés, le voici qui s'accroche au-dessus de lit pour grimper à nouveau vers sa place de choix. Annick le reprend, lui donne une petite tape sur les fesses, et le remet à terre. Cette fois, il a l'air d'avoir compris, et s'enroule pour dormir. Les parents se retirent dans leur chambre à leur tour. Mais Surcouf, qui ne dort que d'une oreille, attend qu'il n'y ait plus aucun bruit, et hop ! Il s'agrippe sur le tissu et retourne dans son coin douillet, sur les cheveux d'Alice qui sentent si bon. Il ronronne comme un bienheureux.

Au matin, c'est lui qui réveille Alice en miaulant d'une toute petite voix éraillée. Il faut dire qu'il est déjà huit heures, il a sûrement faim. Elle se lève, le prend dans ses bras, et se dirige vers la cuisine où sa mère est en train de faire du café.

— Bonjour Maman, dit-elle en baillant. Déjà levée ?

— Bonjour Alice. Oui, grâce à Surcouf ! Ça fait plus d'une heure qu'il réclame.

Alice prépare les deux bols tandis que son papa les rejoint.

Ils s'attablent tous les trois pour le petit-déjeuner, les yeux rivés sur la nouvelle attraction. Il a déjà tout englouti, et c'est l'heure de la toilette. Il lèche consciencieusement sa patte et la passe partout sur sa tête, des oreilles aux moustaches. Rien n'y échappe.

— Je sais ce qu'on a oublié hier au supermarché, s'exclame Alice

— Quoi donc ? demande Henri

— Un jouet et un sac de voyage pour l'emmener partout avec nous.

— Le sac peut attendre, on ne va nulle part avant cet été. Quant à un jouet, j'ai une idée, lui répond sa mère.

Elle cherche dans un des tiroirs de la cuisine et en sort un bouchon de liège avec une bobine de ficelle. En un tour de main elle attache le bouchon et suspend la ficelle à la poignée de la porte à quelques centimètres au-dessus du sol. Surcouf, qui avait suivi tous ses gestes, prend son élan, se précipite, glisse sur le carrelage et se cogne la tête dans la porte.

— Le pauvre, il ne sait pas encore freiner ! s'esclaffe Alice.

Mais il rebondit aussitôt, cherche à attraper le bouchon, tombe et retombe sans cesser de se relever indemne, et la famille rit aux éclats de ses mouvements patauds et de sa maladresse.

Puis tout à coup, il s'arrête net, se fige dans une posture bien reconnaissable, et avant qu'aucun d'entre eux ne puisse intervenir, mouille le sol d'une petite flaque.

— Oh ! Non ! Pas encore ! dit Alice. Et elle éclate de rire.

— Mets-lui le nez devant, donne-lui une petite tape, et

emmène-le tout de suite dans sa litière. Tu as oublié de lui montrer où elle se trouve. Tu verras, encore une ou deux fois comme ça et il sera vite propre.

Alice s'exécute, mais Surcouf saute d'un bond hors de son bac pour la suivre dans la cuisine. Alors qu'elle nettoie ses dégâts, il penche encore la tête de côté comme pour lui dire qu'il regrette et lui demander pardon.

En fait, il s'avéra être un chat en or. Il avait vite appris la différence entre les jours de semaine et les week-ends, et attendait patiemment qu'Alice le nourrisse sans réveiller personne. Il ne volait pas, ni ne réclamait de nourriture à table car personne ne lui donnait des restes. Henri lui avait installé un griffoir qu'il utilisait régulièrement, et il n'abîmait ni les tapis ni les rideaux. Alice avait tout pris en charge comme promis, et semblait mûrie depuis qu'elle était responsable de son petit compagnon à quatre pattes.

Une chose pourtant n'avait pu être rectifiée : Surcouf avait gardé l'habitude de dormir avec Alice, sur la couverture. Mais comme il avait bien grandi, il s'enroulait à ses pieds, une fois la maisonnée endormie. Et le joli panier n'a plus jamais servi !

La beauté intérieure

Rossana était une italienne superbe, qui avait eu dans sa jeunesse tous les atouts pour devenir mannequin. Elle avait gagné quelques concours de beauté dans sa région, mais ses parents qui craignaient pour sa réputation, l'avaient poussée à se marier très tôt avec Salbadore, un entrepreneur corse de leurs amis. Enceinte presque tout de suite, il lui avait fallu mettre une croix sur ses ambitions personnelles, ce qu'elle n'avait jamais réussi à accepter. Certes, elle était toujours aussi belle, mais les années commençaient à laisser leur empreinte.

Aussi, quand leur unique petite fille Mirella commença à lui ressembler, elle projeta sur elle ses propres rêves inachevés. Effectivement, Mirella s'avéra être très jolie, avec de longs cheveux presque noirs, le teint hâlé, de grands yeux verts en amande aux longs cils, et un sourire éclatant de blancheur. Plutôt grande pour ses dix ans et toute svelte, elle avait bien conscience qu'elle attirait l'attention, mais n'en faisait pas vraiment cas.

Elle vivait sa jeunesse avec insouciance, partageant tout avec Alex, sa meilleure amie depuis trois ans. Alexandra avait les cheveux blonds cendré, naturellement ondulés, des yeux bleus et la peau très claire. Elle avait un frère, Marc, de onze ans son aîné, qui, malgré la différence d'âge, avait était enchanté d'avoir une petite sœur, lui avait lu plein d'histoires et avait beaucoup joué avec elle quand elle était petite.

Alex et Mirella étaient donc complices et confidentes, partageaient leurs peines et leurs joies, et s'entendaient aussi bien pour jouer que pour faire leurs devoirs. Elles ne se ressemblaient pas du tout, mais se complétaient parfaitement. Leur dernière promesse était de bien réussir cette dernière année du primaire pour être sures de se retrouver ensemble au même collège.

Ce que Mirella ignorait, c'est que sa mère était à l'affût de tous les concours de beauté, recherches de figurants pour le cinéma, de mannequins juniors pour la publicité et autres évènements susceptibles de mettre sa fille en avant. Elle leur envoyait à tous la meilleure photo de Mirella, et guettait impatiemment le courrier, persuadée qu'elle s'était adressée à des ignorants et des imbéciles quand elle recevait une réponse négative. Jusqu'à ce qu'un jour, elle fut contactée à l'occasion d'une séance de casting pour une publicité à la télévision. Mirella avait été choisie avec d'autres filles, pour faire des essais. Rossana, qui y voyait déjà le début d'une longue carrière et l'occasion d'une revanche sur la vie, se mit à couver sa fille encore plus, l'emmena chez le coiffeur, lui renouvela sa garde-robe et lui acheta même des bijoux.

Si Mirella était un peu agacée au début de tout ce cirque autour de sa personne, elle s'habitua très vite à l'attention qu'on lui portait, et commença à changer du tout au tout. Elle commença à perdre en naturel, raidit ses attitudes, cessa de jouer avec les autres pour ne pas froisser ses robes, et passait son temps à grimacer devant un petit miroir de poche pour étudier différents sourires.

Alexandra ne reconnaissait plus son amie. Finie la complicité, oubliés les secrets partagés et les promesses, c'est tout juste si Mirella lui adressait encore la parole. Avec ses autres camarades de classe, elle adoptait carrément un ton hautain. Celles-ci conseillaient à Alex de laisser tomber cette pimbêche, mais au fond d'elle-même, elle refusait de croire que cette nouvelle Mirella était la vraie. Avec Alexandra, elle devait d'ailleurs se sentir un peu gênée car elle se contentait de lui dire, comme une victime :

— Ah ! Si tu savais, Alex, je suis débordée ! Tu ne te rends pas compte, il y a les séances de photographie, d'habillage et de maquillage. Alors on se verra un autre jour, d'accord ?

— D'accord ! soupirait Alexandra qui sentait le mensonge et la dérobade sous ces prétextes.

Elle qui avait habituellement une assurance innée, alla jusqu'à douter d'elle-même, à croire qu'elle n'était peut-être pas à la hauteur de son amie, que Mirella était sans doute gênée d'être vue en sa présence. Un jour, n'y tenant plus, elle demanda à sa mère :

— Maman, est-ce que je suis belle ?

— Qu'est-ce que tu entends par belle, tu veux dire comme Mirella ? lui demanda-t-elle comme si elle lisait dans ses pensées.

— Par exemple, répondit Alexandra.

Francine avait toujours eu des conversations très franches avec sa fille. Sachant ce qui la tracassait, car Alex lui avait confié son chagrin et sa déception, elle lui dit :

- Pas de la même façon, non. Toi tu es belle de l'intérieur.

— Comment ça ?

— Tu te souviens du restaurant où nous avons dîné tous les quatre la dernière fois ? De l'extérieur, il ne payait pas de mine, tu t'étais même demandé pourquoi on y allait. Et puis une fois à l'intérieur, on a découvert une jolie décoration, une atmosphère chaleureuse, des gens charmants, et on a mangé comme des princes. La beauté intérieure, c'est un peu ça. Sans avoir les plus beaux yeux du monde, ou les plus beaux cheveux, ou le plus joli visage, les gens viennent vers toi naturellement parce qu'ils sentent ce que tu as à offrir. Tu es franche, généreuse, honnête, toujours prête à aider les autres ; regarde avec quelle facilité tu te fais des amis. Les garçons comme les filles te font des confidences, t'invitent à leurs fêtes, s'inquiètent quand tu es malade. Tu es toujours entourée. Ton amie Mirella, aussi jolie soit-elle, si elle continue comme ça, elle finira très seule. Car sa beauté se fanera avec les années, alors que la tienne ne souffrira ni du vent ni du froid, ni du soleil ou du temps qui passe.

— Oui mais Maman, ça me fait de la peine pour elle, je ne veux pas que ça lui arrive. Pour moi, c'est toujours mon amie.

— Je sais Alex, mais il n'y a pas grand-chose que tu puisses faire à part attendre. Qui sait, peut-être que ça lui passera ?

Le soir venu, désespérée de ne pas trouver d'issue à cette impasse, Alexandra se dit que des Sorcigentières devaient tout savoir, et auraient sûrement une solution pour elle.

Elle les invoqua sans vraiment savoir ce qu'elle pourrait leur demander :

— Agabatur Ruob Manipot

— Rutabaga, Topinambour, mon sang ne fait qu'un tour, je vole à ton secours, répondit Malypense en atterrissant sur la boiserie du lit.

Alexandra lui expliqua tout ce qu'il s'était passé entre Mirella et elle depuis le début.

— Et qu'attends-tu de moi petite Alexandra ?

— Je ne sais pas, je pensais qu'avec votre sagesse et votre savoir vous pourriez me donner un bon conseil.

— Alors écoute bien. Parfois dans la vie, il est important de laisser certaines personnes aller jusqu'au bout de ce qu'elles ont commencé, soit parce que c'est le bon chemin à suivre, soit parce que la chute qui les attend sera pleine d'enseignements. La meilleure chose que je puisse faire pour toi, c'est de ne rien faire. Laisse agir le temps et garde tes sentiments bien au chaud. Si elle a du succès, apprête-toi à l'applaudir, si elle doit tomber, sois présente pour l'aider à se relever. Il n'y a que comme ça que tu sauras si elle est vraiment ton amie. Ce qui compte, c'est que toi tu ne changes pas.

Cela dit, elle s'envola aussi discrètement qu'elle était venue. Alex médita dans son lit sur tout ce qu'elle avait entendu, jusqu'à ce que le sommeil la gagne.

Le jour des résultats arriva plus vite qu'elle ne s'y attendait. Alexandra était en classe, à côté d'une chaise vide. Mirella avait été excusée pour la journée, étant donné les circonstances. Alexandra se disait d'ailleurs qu'elle avait cumulé tellement de jours d'absence, que ce ne serait pas évident à rattraper. Elle se sentait nerveuse, comme si elle-même passait un examen. En fin de journée, comme son amie n'était toujours pas revenue, elle appela chez elle. Sa mère répondit d'un ton sec que Mirella était couchée avec un peu de fièvre et ne voulait voir personne. Alexandra, un peu surprise, lui demanda si Mirella avait été choisie, mais elle resta très évasive, dit que la décision était en cours mais pas tout à fait prise, et que ce n'était pas le moment d'en discuter vu que sa fille était malade.

Alexandra rapporta cette conversation à sa mère, qui sentit le vent tourner.

— Ma chérie, je pense que ton amie n'a pas été prise, et que sa mère ne l'a pas encore digéré.

— Oh ! Non ! Ce serait terrible pour elles deux, elles qui ne pensaient plus qu'à ça !

— Mais justement Alexandra, je crois que leur erreur est là, c'est comme si elles s'étaient arrêtées de respirer en attendant ce jour, et que rien d'autre n'avait compté durant tout ce temps. Rossana a tellement monté la tête de sa fille, qu'elles n'ont envisagé l'échec ni l'une ni l'autre.

— Dis Maman, demain c'est mercredi, tu serais d'accord que j'aille la voir ?

— Aucun problème pour moi, mais attends-toi à ce que leur

porte reste close.

— Il faut que je sache si elle a besoin de moi ou non.

Elle hésita puis ajouta, un peu anxieuse :

— Mais si elle ne veut pas me voir, tu seras là quand je reviendrais n'est-ce pas ?

— Oui mon cœur, je ne bouge pas de l'après-midi.

Donc le lendemain après-midi, Alex, non sans appréhension, partit à pied rendre visite à son amie qui habitait tout près. Quand elle sonna à la porte de l'appartement, elle avait la main qui tremblait un peu. Rossana qui la connaissait bien pour l'avoir vue des centaines de fois, lui ouvrit et lui dit :

— Je t'ai dit hier que Mirella était malade. Elle est toujours alitée, je pense qu'il vaut mieux que tu attendes qu'elle soit guérie pour la voir.

— C'est contagieux ce qu'elle a ? demanda-t-elle.

— C'est à dire, pas vraiment mais...

— Alors vous pouvez lui dire que je suis là s'il vous plaît ? On ne sait jamais, peut-être qu'elle serait contente d'avoir de la visite.

Devant l'air décidé d'Alex, elle-même surprise de son audace, Rossana manqua d'arguments. Elle partit prévenir sa fille et quand elle revint, lui dit qu'elle pouvait aller dans sa chambre. Mirella n'était pas du tout couchée, elle était assise en tailleur sur son lit, vêtue d'un survêtement.

Alex, qui avait une longue liste de reproches à lui faire, vit que son amie avait dû beaucoup pleurer, car ses yeux étaient tout rouges et tout bouffis. Alors, sans un mot, elle s'approcha d'elle les bras grands ouverts, et Mirella s'y précipita, en éclatant en sanglots. Quand les hoquets s'espacèrent, elle regarda Alex d'un air pitoyable et lui dit :

— Quel beau gâchis j'ai fait ! J'ai tout perdu n'est-ce pas ?

— De quoi parles-tu ? Tu es toujours aussi jolie, et je suis toujours ton amie. Alors qu'est-ce que tu as perdu ? Des heures de cours ? Et bien je t'aiderais à les rattraper ! Tu te souviens de notre promesse ? On doit rester ensemble l'année prochaine !

— Oh ! Alex, tu es la meilleure amie qu'on puisse rêver d'avoir !

Alex, pour imiter son amie, prit la pose d'un modèle avec une main sur la hanche, et l'autre derrière la tête, et lui répondit, avec la même voix snob que Mirella avait adopté ces derniers temps :

— Je sais, on me l'a déjà dit !

Et elles éclatèrent de rire, soulagées de se retrouver comme avant.

Il était moins une

Depuis que Lise était née et qu'il l'avait vue si fragile, avec ses petits yeux bleus, plein de cheveux noirs en bataille, et des mains et des pieds minuscules, Olivier, son frère aîné de sept ans, l'adorait. Quand elle faisait la sieste, il allait la voir au moins vingt fois pour s'assurer que tout allait bien. Quand son père ou sa mère lui donnait le biberon, il fallait qu'il assiste, jusqu'à ce qu'ils soient d'accord pour qu'il essaie tout seul, en leur présence bien sûr. Il aidait sa mère à la changer, à lui préparer ses rations, bref, il participait à toutes les étapes de la croissance de sa petite sœur. Il avait même, en secret, demandé aux Sorcigentières si l'une d'elles voulait bien être sa marraine. Greluche, qui fondait comme neige au soleil devant les nourrissons, avait tout de suite répondu à l'appel :

— Je veillerais sur elle, c'est promis, avait-elle dit à Olivier.

Pourtant, Lise pleurait souvent, longtemps et presque chaque nuit, ce qui le tracassait car elle avait vingt mois maintenant. Et il voyait bien que sa mère avait des cernes sous les yeux, qu'elle avait de moins en moins de patience. Effectivement, depuis quelques mois, Valérie n'allait pas bien du tout, et Mathieu était inquiet pour sa femme. Certes, elle n'avait pas de fièvre, pas de symptôme classique d'une maladie courante comme la grippe, mais elle était sans arrêt fatiguée, avait de violents maux de tête, s'énervait pour un rien et pleurait au moment où on s'y attendait le moins. Malheureusement, pris par son travail, il n'avait pas vraiment le temps de se pencher sur le problème, et chaque fois qu'il demandait à sa femme s'il pouvait l'aider en quoi que ce soit, elle répondait par la négative.

Olivier, malgré ses neuf ans, se rendait compte aussi que sa maman n'était pas comme d'habitude. Alors il essayait d'être bien sage, de lui faire plein de câlins et de bisous, mais Valérie semblait à peine sensible à ces marques d'affection. Avec Lise c'était encore pire. Valérie ne supportait plus de l'entendre pleurer. Là encore, Olivier faisait de son mieux pour arriver à la calmer, la berçait en lui chantant des chansons, et il fallait avouer qu'il s'y prenait tellement bien que la petite fille retrouvait son sourire rapidement ou s'endormait d'un coup, comme ça, dans ses bras.

Un mercredi après-midi, sans raison apparente, Lise se mit à hurler à pleins poumons. Valérie alla la chercher, l'examina pour savoir si elle avait des boutons ou des rougeurs, mais non. Elle vérifia si elle avait de la fièvre, mais la température était normale. Sauf que Lise n'avait pas du tout apprécié le thermomètre et criait encore plus fort. Même Olivier n'arrivait pas à la calmer. Alors Valérie, excédée, la secoua comme un prunier pour qu'elle s'arrête, et voyant que ça n'avait aucun effet, la recoucha dans sa chambre, prit son sac à main et son manteau, et dit à son fils :

— Olivier, je sors, j'ai besoin de prendre l'air. Sois bien sage, je reviens dans peu de temps.

Puis elle sortit de l'appartement en claquant la porte.

Et là, Olivier réalisa tout à coup que sa petite sœur ne pleurait plus. Il régnait un silence si soudain qu'il courut dans la chambre pour voir Lise. La pauvre était toute rouge, ouvrait et refermait la bouche comme si elle avait du mal à respirer, et son petit corps était secoué de mouvements brutaux et irréguliers. Olivier sentit immédiatement que quelque chose n'allait pas. Il fut pris de panique, n'arrivant pas à choisir entre rester auprès d'elle et courir au salon téléphoner. Au bout de quelques secondes, il se décida qu'il fallait prévenir son Papa. Il se rua sur le téléphone, et ouvrit le calepin pour trouver le numéro de travail de son père. Mais Greluche, qui faisait sa tournée quotidienne pour voir sa filleule, se rendit compte de l'urgence de la situation et des précieuses minutes perdues. Alors sans se rendre visible, elle dirigea les doigts tout tremblants d'Olivier sur le 1 et sur le 5, jugeant qu'il était plus important d'avoir des secours pour la petite que de prévenir son père.

Une jeune-femme répondit rapidement :

— Ici les pompiers, c'est pour une urgence ?

— Oh ! Oui ! s'exclama Olivier en pleurs. Ma petite sœur ne respire plus, je ne sais pas quoi faire.

— Elle a quel âge ta petite sœur ?

— Bientôt deux ans.

— Il y a quelqu'un d'autre avec toi ?

— Non je suis tout seul.

— Donne-moi ton adresse, on arrive tout de suite. Surtout

ne bouge pas, ne fais rien, et reste bien calme. D'accord ?

Olivier s'exécuta, mais il tremblait de tout son corps.

— Oui mais faites vite je vous en prie !

Et il courut dans la chambre sans prendre la peine de raccrocher le téléphone. Lise n'avait pas bougé, mais elle avait encore les yeux ouverts et la bouche qui remuait comme pour murmurer quelque chose. Olivier lui prit la main, et ne la quitta plus jusqu'à ce qu'il entende frapper à la porte.

Les pompiers venaient d'arriver, en un temps record. Ils se précipitèrent à la suite d'Olivier dans la chambre de Lise et s'en occupèrent immédiatement. La femme qui était avec eux se mit à parler doucement à Olivier pour détourner son attention et essayer de le calmer.

— Je m'appelle Claire. Où sont tes parents ? Ils sont prévenus ?

— Maman est sortie, mais j'sais pas où, et Papa est à son travail. J'ai le numéro si vous voulez.

— Montre-moi, on va l'appeler tout de suite.

Elle prit le combiné, composa le numéro, et quand elle eut le père d'Olivier au bout du fil, lui expliqua la situation.

— Nous l'emmenons aux urgences immédiatement, rejoignez-nous là-bas ce sera plus rapide pour vous. Avez-vous un moyen de joindre votre femme ?

— Je l'appelle sur son portable, je pars tout de suite, répondit-il bouleversé.

Valérie, heureusement, avait son téléphone mobile sur elle,

et répondit à la première sonnerie. Elle éclata en sanglots, paniquée à l'idée que sa fille risquait le pire. Mathieu la prit au passage dans la voiture car elle se trouvait sur son chemin. Claire les attendait à l'accueil des urgences, avec Olivier qu'elle tenait par la main. Dès qu'il vit ses parents, Olivier se précipita dans les bras de son père en lui disant :

— Papa, si tu l'avais vue ! Elle ne bougeait plus, c'est comme si elle essayait de pleurer et qu'elle n'y arrivait plus. Dis Papa, ça va aller n'est-ce pas ?

Claire leur expliqua que Lise était en soins intensifs, subissant toutes sortes d'examens, et qu'ils devaient attendre avant de pouvoir la voir et rencontrer le médecin pour avoir une idée plus précise de son état.

— Votre garçon a été formidable vous savez, il a fait exactement ce qu'il fallait.

Mathieu serra très fort son fils dans ses bras en lui disant :

— Merci mon garçon, merci, je suis très fier de toi !

Et Claire s'éclipsa pour leur laisser un peu d'intimité.

Mathieu demanda à Valérie ce qu'il s'était passé, et elle lui raconta la crise de hurlements, qu'elle avait secoué la petite pour la faire taire et qu'elle était partie parce qu'elle ne supportait plus de l'entendre. Ils n'avaient aucune idée, ni l'un ni l'autre, des conséquences que pouvait avoir ce geste de secouer un enfant d'avant en arrière. Quand ils virent un médecin marcher dans leur direction, ils se précipitèrent pour lui parler.

— C'est vous qui vous occupez de notre petite Lise ?

— Oui, c'est moi, Docteur Rézoutou. Je vous rassure tout de

suite, elle va bien, elle a été très choquée, mais je ne pense pas qu'il y aura des séquelles. Il faut tout de même qu'elle reste en observation chez nous pendant quelque temps. Par contre, j'ai besoin de vous poser des questions pour comprendre ce qui lui est arrivé.

— Bien sûr Docteur, répondit Mathieu.

Et Valérie étant toujours en pleurs, il se chargea de lui répéter ce qu'elle lui avait dit, pendant qu'une jolie infirmière prenait Olivier par la main pour l'emmener vers une salle de jeux et le distraire un peu. De voir tous ces adultes prendre soin de sa petite sœur l'avait soulagé d'un grand poids.

Dans le petit bureau du médecin, Mathieu et Valérie écoutaient, abasourdis, les explications du Docteur Rézoutou sur les dangers de secouer un bébé, même pour jouer.

— On appelle ça le syndrome du bébé secoué, leur dit-il.

— Chez un nourrisson, le cerveau ne remplit pas totalement le crâne, donc si sa tête est secouée, il va cogner contre les parois et créer des dégâts. Plus le bébé est jeune, plus les conséquences sont irréversibles. Ça peut aller de la cécité à la paralysie, voire pire. Dans le cas de votre fille, comme elle a presque deux ans, et qu'elle a été prise en urgence tout de suite, les risques sont beaucoup plus faibles. Il faudra pourtant rester attentifs à son développement, et ne pas hésiter à consulter un médecin si vous constatez quoi que ce soit d'anormal. Et surtout, surtout, n'oubliez pas de mentionner ce qui lui est arrivé.

— Oh ! Docteur, je me sens tellement coupable, dit Valérie en s'effondrant. Si j'avais eu la moindre idée, je, jamais je n'aurais fait ça !

— Mais c'est ce qui arrive dans la plupart des cas, répondit-il d'une voix douce et calme.

Devant ces deux parents qui se tenaient par la main et semblaient aussi préoccupés l'un que l'autre de la santé de leur enfant, le docteur Rézoutou vit bien qu'il avait affaire à une famille unie, et qu'il ne pouvait s'agir que d'un malheureux accident. Encore un couple trop stressé par la vie, pensa-t-il.

— Le mieux que vous puissiez faire, si vous ne vous sentez plus capable de supporter des pleurs interminables, c'est de demander à une personne extérieure de vous aider.

Mathieu, décida qu'il était temps de parler de l'état de Valérie.

— C'est important ce que me dit votre mari, je crois que vous devriez aller voir votre médecin traitant pour lui en parler et suivre un traitement. Ces symptômes ressemblent fort à un début de dépression. En attendant je vous donne des sédatifs pour vous aider à vous reposer. Et dès que vous le pourrez, prenez des vacances ensemble, ça vous fera le plus grand bien.

Sur ce, ils suivirent le Docteur Rézoutou vers la chambre de leur fille, prenant Olivier au passage. Lise reposait sur le lit, les yeux fermés, le teint légèrement rosé. Elle avait l'air si calme ! Mathieu et Valérie s'approchèrent d'elle, lui caressèrent la joue et déposèrent un baiser sur son front. Olivier était si heureux de la voir ainsi ! Il lui prit ses petites mains et les embrassa. Puis, en sortant de la chambre, Mathieu serra très fort Valérie dans ses bras et lui dit :

— Tu verras ma chérie, tout va bien aller. Lise est sauvée, et maintenant, on va prendre soin de toi. Tu veux bien ?

— Oh ! Oui Mathieu ! Si tu savais comme je suis épuisée !

— Je comprends Valérie, je suis désolé de n'avoir pas fait plus attention.

Puis ils regardèrent Olivier et Mathieu lui dit :

— Grâce à toi, ta petite sœur va bien. Alors à partir d'aujourd'hui, on va aider ta maman à ce qu'elle aille aussi bien, d'accord ?

— Oui mais c'est pas parce que je sais m'occuper d'un bébé que je sais comment soigner une maman, répondit-il perplexe.

— Contente-toi de rester le formidable petit garçon que tu es, et ce sera largement suffisant, dit Valérie en le serrant très fort contre son cœur.

— Peut-être que plus tard, je devrais être infirmier alors ?

— C'est une excellente idée mon bonhomme, répondit Mathieu en lui souriant. Je crois que tu as déjà toutes les qualités requises !

Une Mamy branchée

Geneviève avait été gâtée jusqu'à présent. Veuve depuis quelques années déjà, elle était en très bons termes avec son fils Sébastien, musicien et toujours célibataire, et sa fille Monique, sociologue et mariée avec deux enfants, Aurélie douze ans et Clément huit ans. Comme ils habitaient tous dans la région, elle arrivait à les voir assez souvent, et n'avait jamais le temps de se sentir seule.

Mais un jour, Monique lui annonça qu'on avait proposé à son mari un poste assez haut placé à Pékin pour un an, et qu'ils étaient plutôt tentés par l'idée d'une expatriation en territoire inconnu. Geneviève, qui pensait généralement au bonheur de sa fille avant tout, eu tout de même un pincement au cœur.

— Mais c'est formidable ça, tu féliciteras Christophe de ma part, je suppose que c'est une belle promotion ! dit-elle en essayant de dissimuler son désarroi.

— Ah pour ça, la proposition est alléchante, mais nous pensons surtout que ce serait une formidable expérience pour les enfants, tu ne crois pas ? lui répondit Monique.

— Tu m'appelles pour me demander mon avis ou pour m'annoncer votre départ ? reprend Geneviève qui connaît bien sa fille

— Un peu des deux en fait. Il est clair que je ne vais pas

demander à mon mari de refuser une opportunité pareille, mais j'aimerais quand même savoir ce que tu en penses.

— Oh ! Tu sais, les enfants s'adaptent à toutes les situations en général, et souvent plus rapidement que les adultes, donc je ne me fais pas de souci pour eux. Mais toi, que feras-tu là-bas si tu dois quitter ton travail ?

— Bien j'ai pensé que je pourrais en profiter pour apprendre le chinois, et peut-être enseigner le français à des enfants. Un an c'est vite passé tu sais !

— Je suis sûre que tu ne seras pas inoccupée longtemps telle que je te connais. J'espère seulement que c'est un pays qui vous conviendra. Quant à moi, ne vous attendez pas, avec mes soixante-huit ans, que je prenne l'avion pour venir vous voir. C'est trop loin et sûrement trop cher. Au fait, c'est prévu pour quand cette nouvelle aventure ?

— Christophe part dans quinze jours pour préparer le terrain, et les enfants et moi environ deux semaines plus tard.

— Déjà ! J'espère vous voir avant quand même ? s'inquiète Geneviève tout à coup.

— Mais oui bien sûr. On pensait venir ce samedi si tu es d'accord.

— Je vous attends de pied ferme.

— A dans quelques jours alors. On t'embrasse très fort.

Geneviève est toute bouleversée. « La Chine, la Chine, c'est bien joli tout ça, mais je vais les voir quand mes petits enfants ? » pense-t-elle à voix haute. « Et puis je parie qu'on ne pourra pas s'appeler trop souvent non plus, ça doit coûter une fortune de téléphoner là-bas ».

Mais sa fille a déjà pensé à tout ça. Le Samedi suivant, durant l'apéritif et pendant que les enfants jouent ensemble, Monique et Christophe lui font part de la solution qu'ils ont trouvés pour rester en contact. Christophe commence le premier :

— Geneviève, on s'est dit avec votre fille qu'il serait temps que vous ayez un ordinateur, avec internet, comme ça vous pourrez rester en contact par mail avec elle et vos petits-enfants.

— Ha ! Je l'attendais celle-là ! Parce que vous croyez que je vais pouvoir m'y mettre à mon âge, alors que je n'y connais rien du tout ?

— Maman, il n'y a pas de raison. Je connais plein de gens autour de moi dont les parents se sont mis à l'internet. Personne ne te demande de faire de l'informatique, il suffit juste de savoir comment envoyer un courrier, le recevoir, ouvrir une pièce jointe ou en attacher une.

— Tu vois, tu n'es pas encore partie et tu me parles déjà en chinois ! s'exclame Geneviève. Ça veut dire quoi attacher une pièce ?

— C'est si on t'envoie un message et qu'on veut y joindre une photo des enfants par exemple ; Tu sais, si Aurélie peut s'en servir à 12 ans, je ne vois pas pourquoi tu n'y arriverais pas. Et elle est déjà très préoccupée par l'idée de ne plus pouvoir te voir si souvent. Alors il faut absolument que tu fasses ce pas.

— Oui mais à son âge on avale les connaissances comme des

cerises ! Je l'ai vue sur son clavier taper des deux doigts aussi vite qu'une souris qui trottine. Elle te manipule tout ça comme si elle était née avec. Mais moi c'est autre chose. Tu sais bien qu'on n'apprend pas si vite quand on vieillit.

— Taratata ! Dans ta tête, tu es encore si jeune, tout ça c'est parce que tu n'as jamais essayé.

— Bon mais sérieusement, ça coûte combien votre affaire, parce qu'avec ma retraite, je ne vais pas dépenser une fortune pour un truc qui va me servir un an seulement !

Christophe regarde sa femme en souriant et reprend la conversation :

— Et bien justement, Monique et moi avons pensé vous offrir un ordinateur pour Noël et votre anniversaire. Et votre fille pourrait passer la dernière semaine chez vous avec les enfants quand elle aura liquidé l'appartement, et vous montrer le B-A-BA.

— Mais je vois qu'on a déjà tout prévu ma parole ! On ne vous arrête jamais vous les jeunes !

— Et si tu crois que ça va te servir un an seulement, tu te trompes. Tu verras, une fois qu'on entrouvre cette fenêtre sur le monde, on ne peut plus s'en passer, lui dit Monique.

Sur ce, Aurélie et Clément, qui commencent à avoir faim, arrivent en courant dans le salon.

— Ah ! Je vois qu'il est temps de passer à table, dit Geneviève.

Durant le repas, la conversation tourne bien évidemment sur le projet de la Chine, mais Geneviève constate que la famille de sa fille est toute excitée à cette idée, alors elle se sent rassurée de les voir ainsi.

Quelques jours plus tard, Escagasse convoque les Sorcigentières à une réunion au sommet, toute émoustillée à la vue d'une famille si pleine d'amour.

— Il faut qu'on fasse quelque chose pour que cette Mamy reste proche de ses petits-enfants, dit-elle aux autres.

— Mais tu n'es pas sérieuse, lui dit Malypense. Ce n'est pas une famille à problèmes, ils s'aiment tous, la fille et le gendre ont de bons moyens, pourquoi voudrais-tu que nous intervenions ?

— Oh ! Mais c'est que je connais les jeunes d'aujourd'hui, ils sont toujours pleins de bonnes intentions, mais n'ont jamais le temps de mettre leurs plans à exécution.

— Hum ! Là-dessus, tu n'as peut-être pas tort. On va mandater Greluche pour leur rappeler alors, ça t'ira comme ça ?

— Parfait, c'est la mission idéale pour cette flemmarde, s'exclama Escagasse.

Greluche fit ce qu'on lui demandait, elle passa toutes les nuits en tournant autour des oreilles de Monique et Sébastien en murmurant dans leur sommeil :

— Bzzz, ordinateur, brrrrou, brrrrou, internet, Hisssss, Hisssss, email.

Et les parents, au réveil, avait tous deux l'impression d'avoir du sable dans les oreilles, et n'arrêtaient pas de se les gratter.

Malheureusement, entre les préparatifs du départ, des imprévus et contre-temps de dernière minute à régler, le jour du départ arrive et Geneviève n'entend plus parler du projet du PC qui semble être passé aux oubliettes. Les sachant débordés, elle se garde bien de le mentionner. Et puis ce n'est pas son genre de réclamer de toute façon. Alors elle angoisse un peu quand même à l'idée de cette longue séparation.

Le samedi suivant, alors qu'elle reçoit son fils à déjeuner, on sonne à sa porte.

Sébastien va ouvrir et crie par-dessus son épaule :

— Maman, il y a trois gros paquets pour toi, il faut que tu viennes signer.

— Trois paquets, mais je n'ai rien commandé, dit Geneviève au livreur.

— Pourtant, c'est le bon nom et la bonne adresse, dit-il en vérifiant.

Elle signe le reçu pendant que Sébastien rentre les énormes cartons. Heureusement qu'il était là, ils sont non seulement volumineux, mais très lourds. Il laisse à sa mère le soin de les ouvrir, car en fait il sait déjà de quoi il s'agit, et sa présence aujourd'hui n'est pas le fruit du hasard.

Monique et son mari qui ont rêvé presque chaque nuit d'équipement informatique, ont tenu leur promesse : il y a là un ordinateur, une imprimante couleur et même un scanner. Geneviève n'en croit pas ses yeux. Un petit mot de sa fille accompagne le tout avec ses excuses pour n'avoir pas été présente pour l'aider à démarrer, et la rassurant que Sébastien prendrait la relève.

— Vous êtes fous mes enfants, s'exclame-t-elle. Mais au fait, je ne peux pas l'utiliser maintenant, Monique m'a dit qu'il fallait que je sois abonnée à un service Internet et qu'elle vérifie si on avait la Déssel, ou je sais pas quoi.

— Tu veux dire l'ADSL ? Christophe s'est occupé de tout avant de partir et m'a confié tous les documents. Il ne devrait pas y avoir de problèmes, lui répond son fils.

En effet, Christophe travaillant pour un opérateur téléphonique, n'avait eu aucun mal à tout préparer pour sa mère, et faire mettre le contrat et les factures à venir à son nom à lui pour lui éviter toutes les démarches.

— Oh ! Vous êtes formidables ! dit-elle toute confuse.

Après déjeuner, Sébastien porte le matériel dans son petit bureau, et connecte le tout en véritable expert, pendant que sa mère observe, médusée, la rapidité des opérations.

— Au fait, c'est une surprise entre ma sœur, toi et moi, les enfants ne sont pas au courant, pour que tu puisses leur faire la surprise. Alors je vais te montrer rapidement comment envoyer un email et en recevoir. Ce sera déjà un bon début. D'accord ?

L'enthousiasme gagne Geneviève qui va chercher une chaise et s'installe à côté de son fils. En fait, elle est ravie d'apprendre quelque chose de nouveau, car elle est d'une nature curieuse, mais comme elle sait que sa mémoire la trahit de temps en temps, elle s'équipe d'un cahier et d'un stylo pour noter tout ce qui lui dira son fils.

— Quelle bonne élève tu fais, lui dit-il en riant.

Ah ! Qu'est-ce qu'on ne ferait pas pour ses petits enfants !

En fait, deux heures se passent sans que Geneviève s'en rende compte, et la voilà prête à envoyer son premier message en Chine sous le regard attentif de Sébastien.

—Mais tu te débrouilles comme un chef, dit-il avec un sifflement admiratif.

— C'est ça, moque-toi de moi, dit Geneviève qui trouve que ça lui a pris un temps fou pour taper trois lignes.

— N'oublie pas, avec le décalage horaire, ils le liront demain matin, mais par contre toi, tu devrais recevoir une réponse avant ton réveil. Et ne t'inquiète pas, ça viendra plus vite que tu ne penses. Bon, c'est pas tout ça, mais il faut que je me sauve, on répète notre concert avec les copains ce soir.

Geneviève le serre très fort dans ses bras et le remercie encore. De nouveau seule à la maison, elle est tout ragaillardie, ça lui fait comme un coup de jeune d'être « à la page ». Et avant de s'endormir, ça cogite, ça cogite dans sa tête ! Elle prévoit déjà d'appeler la Mairie pour se renseigner sur les cours d'initiation en bureautique pour adultes. Maintenant qu'elle est équipée, plus rien ne l'arrêtera.

Le lendemain, avant de prendre son petit déjeuner, elle court vérifier sa boîte de courrier sur l'ordinateur qu'elle n'a pas éteint de la nuit, de peur de ne pas savoir tout redémarrer. Effectivement, à sa grande joie, il y a déjà une réponse de sa fille, et un petit mot de Clément et d'Aurélie qui terminent en disant :

— Mamy on t'embrasse très fort, et tu sais quoi ? T'es la plus branchée des Mamys !

Des yeux plus gros que le ventre

Patricia est une très jolie jeune femme, qui le sait un peu trop, mais qu'on ne peut s'empêcher de remarquer. Grande, mince, avec de magnifiques cheveux blonds et de grands yeux verts, on se retourne toujours sur son passage. Forte de cet atout qu'elle ne doit qu'à la nature et non à ses propres mérites, elle s'engagea dans des études de médecine, avec pour seul objectif de rencontrer un bon parti, une assurance pour l'avenir. Dès qu'elle eût ciblé sa proie, un jeune homme très prometteur, plutôt joli garçon et de bonne famille de surcroît, elle n'eut de cesse qu'il tombe amoureux d'elle. Ce n'était malheureusement pas difficile, car elle avait une longue liste de prétendants. Frédéric, ébloui dès le premier regard, tomba dans ses filets. Son ego flatté d'avoir été choisi parmi les autres étudiants, mais son instinct mise en berne par les regards d'envie, il lui proposa rapidement le mariage. Et quand ses plus proches amis tentèrent de l'en dissuader, il mit leurs raisons sous le compte de la jalousie. Patricia, qui n'attendait que ça, minauda pour la forme, mais accepta avant que l'amoureux transi ne se fatigue d'attendre. Elle emménagea donc chez lui, dans un trois-pièces fort bien situé dans un quartier chic de la capitale, qui pour être petit ne manquait pas de charme. Frédéric, au comble du bonheur, n'en trouva que plus de forces pour exceller dans ses études, alors que Patricia décida qu'il était temps d'avoir des enfants. A quoi servirait de jouer davantage les étudiantes alors qu'elle savait pertinemment qu'elle n'avait aucune intention de travailler un jour ? Elle trouvait dégradant qu'une jolie femme soit contrainte de gagner des revenus, car selon elle, un homme se devait d'être le garant du confort matériel de sa famille.

Ils eurent ainsi trois enfants à trois ans d'intervalle, Sarah, Damien et Morgane. Heureusement pour eux, les parents de Frédéric étaient généreux car ils croyaient fortement en sa réussite, et ils apportèrent le complément financier dont ils avaient besoin pour pouvoir emménager dans un appartement plus grand. Frédéric, qui avait rencontré au cours de ses études une jeune-fille aveugle de naissance, avait été stupéfait et admiratif de son courage, de sa ténacité et de son optimiste. A cause d'elle ou plutôt grâce à elle, il avait choisi de se spécialiser dans l'ophtalmologie, et Julie était restée une très bonne amie. En quelques années, il devint un chirurgien spécialisé dans les opérations de l'œil, et Julie réussit à créer sa petite entreprise d'enregistrements audio de livres destinés aux aveugles et mal voyants. Frédéric avait également conservé de ses études quatre copains qui avaient plus ou moins réussi, et à qui il vouait une amitié fidèle. Il était comme ça Frédéric. Pas du genre à prendre la grosse tête et tourner le dos aux anciens camarades sous prétexte qu'ils ne naviguaient pas dans les mêmes sphères que lui. D'ailleurs, sa plus grande satisfaction demeurait toujours dans le fait d'apporter à ses patients une nouvelle qualité de vie grâce à ses interventions. Il était chaque fois étonné autant par les miracles de la chirurgie laser, que par la gratitude des gens dont il s'occupait. Et ça lui permettait de garder les pieds sur terre.

Patricia, depuis ses trois grossesses, était obsédée par le poids qu'elle avait pris et ne pensait qu'à retrouver sa taille de jeune-fille. Comme elle n'aimait ni les tâches domestiques ni le rôle de mère, elle avait adopté le système des filles au pair, dès que les revenus de son mari le leur avait permis. N'ayant plus à superviser les devoirs de ses enfants ni à gérer leurs sorties, elle s'était entourée de copines assez inconsistantes, qu'elle retrouvait pour faire des emplettes ou lors de ses séances de gymnastique. Elle se donnait des airs de largesse en les invitant à de fastes dîners où Frédéric et leurs enfants s'ennuyaient profondément, ou en leur offrant des places de théâtre et de concert auxquels elle n'aurait pris aucun plaisir à aller toute seule. Il est vrai qu'un diamant n'a d'éclat qu'au travers des regards qui le convoitent, et sans lesquels il serait un vulgaire carbone.

Les enfants grandissaient, et ils n'étaient pas dupes. Surtout Sarah. A quinze ans, elle trouvait sa mère futile et si dénuée de sentiments que, adolescence aidant, elle était sans cesse en conflit avec elle. Quant à Damien et Morgane, quatorze ans et douze et demi, ils s'entendaient bien mieux avec leur père qui, chaque fois qu'il le pouvait, leur témoignait un amour sincère. Il s'intéressait à leurs progrès scolaires, organisait toujours des fêtes formidables pour leurs anniversaires, les emmenaient en vacances dans des endroits merveilleux où ils pouvaient tous ensemble partager de nouvelles activités. Frédéric leur fit ainsi découvrir l'escalade, le canoë-kayak, la spéléologie et même la plongée sous-marine. Patricia, qui avait horreur de ces retrouvailles familiales où elle était bien obligée de s'afficher en tant que mère, en profitait pour faire des cures thermales avec ses copines. Il faut dire que leur couple existait plus dans la forme que dans le fond. Si leur relation restait courtoise, aucun des deux ne s'intéressait à ce que faisait l'autre depuis un moment déjà, et le seul pont qui leur restait était leur progéniture.

Au retour de leurs dernières grandes vacances, Patricia leur annonça qu'elle avait fait la connaissance d'un couple qui avait une magnifique maison, et qu'il fallait absolument qu'ils investissent dans une propriété. Or en quinze ans, ils en étaient déjà à leur cinquième appartement, et occupaient aujourd'hui un penthouse à Saint-Germain qui leur plaisait à tous. Les enfants avaient chacun leur chambre, les parents une suite avec dressing et salle de bains privative, et le salon donnait sur une grande terrasse avec des baies vitrées. La réaction fut majoritairement négative. Alors de courtoise la relation devint tendue, puis hostile. Patricia se montrait sous son vrai jour, déclenchant des disputes à la moindre occasion. Frédéric ne savait plus quoi faire. Il consulta Julie et ses amis, mais aucun d'eux ne l'encouragea à céder car ils avaient toujours douté de la sincérité de sa femme et trouvaient qu'elle commençait à pousser le bouchon un peu loin.

Il n'y a que la petite Morgane qui souhaitait une seule chose, c'est que la zizanie cesse à la maison. Alors un soir, elle appela les Sorcigentières à la rescousse :

— Agabatur Ruob Manipot

— Rutabaga, Topinambour, mon sang ne fait qu'un tour, je vole à ton secours, dirent en chœur Fouillassonne et Bisbille qui se trouvaient dans les parages. Que pouvons-nous faire pour t'aider ?

— Ma Maman voudrait une belle maison, mais mon Papa n'est pas d'accord, et ils n'arrêtent pas de se disputer à cause de ça. Est-ce que vous pouvez trouver une solution pour les mettre d'accord ?

— Nous allons faire en sorte de satisfaire tout le monde, répondirent-elles.

Après quelques conciliabules, elles décidèrent d'accorder à Patricia ce qu'elle souhaitait, en la laissant seule responsable de ses choix.

Ce que Frédéric ignorait totalement, car elle s'abstenait bien d'en parler à qui que ce soit, c'est que Patricia jouait régulièrement au Loto, persuadée comme tout le monde qu'un jour elle décrocherait le gros lot. Fouillassonne et Bisbille firent en sorte que ce jour arrive très rapidement.

Quand elle raconta d'un ton arrogant à son mari qu'elle venait de gagner une fortune sans aucun effort, Frédéric fut d'abord un peu vexé d'apprendre que visiblement ses revenus ne suffisaient pas à sa femme, au point qu'elle s'était sentie obligée de jouer au Loto.

Puis, irrité par son attitude, il lui dit :

— Alors que comptes-tu faire à présent ?

— Mais voyons, nous pouvons enfin acheter la maison de nos rêves !

— De tes rêves tu veux dire ! Je te préviens, je n'irais pas vivre à la campagne et les enfants ne quitteront ni leur école qu'ils aiment bien, ni leurs amis.

— Mais ce n'est pas un problème, ce ne sera que pour les week-ends ou les vacances, pour y inviter nos amis, célébrer des occasions. Nous garderons l'appartement bien entendu.

— Et qui en assurera l'entretien ? Toi peut-être ?

— Tu n'y penses pas mon chéri, nous aurons du personnel pour l'extérieur comme pour l'intérieur.

— Alors écoute-moi bien. Tu feras ce que tu voudras de TON argent, mais je ne te suis plus dans tes projets.

— Ne t'inquiète pas, je ne te demanderais rien, je m'occupe de tout, répondit-elle enchantée de la réponse qu'elle espérait. Je te propose même que nous allions voir un notaire pour faire un contrat de mariage. Nous pourrons mettre la maison à mon nom, de cette façon, s'il arrive quoi que ce soit, tu ne seras aucunement responsable financièrement.

Frédéric eut tout à coup l'impression d'avoir été manipulé depuis le début. Elle avait cette sorte d'assurance qu'on acquiert après avoir planifié un projet de longue date, étudié sous tous ses angles, envisagé toutes les conséquences possibles. C'était comme de recevoir un coup de poing dans l'estomac.

Ecœuré, le lendemain soir, il dîna à l'extérieur avec son

groupe d'amis. Ils furent unanimes :

— Si c'est ce qu'elle veut, laisse-la faire, et qu'elle mette tout à son nom. Après tout, qu'est-ce que tu risques ? De toute façon, tu ne l'arrêteras pas, elle en veut toujours plus. Aujourd'hui c'est la maison, demain ce sera autre chose.

Frédéric laissa faire, et Patricia trouva un petit manoir qui ne demandait qu'à être restauré, à cinquante kilomètres de la ville, sur un immense terrain arboré. Comme elle était plutôt du style à aimer être en vitrine, elle fit déboiser les deux-tiers de la propriété pour la transformer en parc avec pelouse impeccable, fit construire une grande piscine en forme de petit lac tortueux, un court de tennis et une écurie car l'équitation ferait certainement partie de son nouveau standing. Les réparations et réaménagements intérieurs furent menés tambour battant, elle acheta une voiture luxueuse pour ne pas dépareiller avec l'ensemble, engagea le fameux personnel dont elle avait parlé, et s'apprêta à célébrer son acquisition en grandes pompes, avec famille, amis, connaissances et futurs voisins bien entendu. Ces festivités engloutirent encore une partie de son pactole, qui fondait à vue d'œil.

Frédéric et ses amis avaient vu juste. Durant toute la période consacrée à l'aménagement et la décoration de sa nouvelle demeure, Patricia était aux anges, sa faim d'opulence rassasiée. Mais quand tout fut fini, que les connaissances eurent satisfait leur curiosité, et que l'hiver arriva, plus personne ne souhaitait aller là-bas. Cependant, il fallait tout de même chauffer la maison et l'entretenir pour qu'elle ne se dégrade pas, et donc payer le personnel. En dix-huit mois, Patricia se retrouva à la case départ, sans un sou ni revenu régulier pour faire face aux exigences d'un tel faste. Sa fierté l'empêchait de demander à son époux de l'aider, mais il voyait bien que quelque chose clochait car sa superbe s'était dégonflée comme un soufflé.

Elle commença par licencier les gens qui travaillaient pour elle, puis vendit sa voiture pour un modèle plus économique. Mais son banquier se fit pressant car il voyait bien qu'il n'y avait pas de rentrée d'argent sur le compte qu'elle avait ouvert à son nom. Alors, en dernier recours, elle mit le manoir en vente. Et comme toujours quand on est pressé, elle le vendit mal, c'est-à-dire pour une somme inférieure aux frais qu'elle avait engagés. Il avait fallu vingt-quatre mois pour que Patricia grimpe au sommet et en dégringole sans grâce et sans filet. Vingt-quatre mois pendant lesquels elle avait totalement négligé son mari et ses enfants qui s'étaient éloignés d'elle, vingt-quatre mois au cours desquels Frédéric et Julie avaient tissé de tendres liens au plus grand bonheur des enfants. Aussi, fût-elle très mal reçue quand elle s'adressa à Frédéric pour lui demander de l'aider, et de lui prêter encore de l'argent :

— Pour en faire quoi ? Encore un de tes projets dont tu lasseras en deux temps trois mouvements ? Tu sais ce qu'il te manque encore et que tu n'as pas demandé ?

— Non, dit-elle un peu étonnée.

— Le divorce Patricia, et je te l'accorde de suite, car j'en ai assez d'avoir une femme vénale et capricieuse qui ne s'intéresse même pas à ses enfants.

Et c'est ainsi que s'achevèrent les ambitions de Patricia. Elle se retrouva seule dans un petit deux pièces, contrainte, malgré la pension que lui versait son ex-mari, à travailler pour satisfaire ses envies. Comble de l'infamie !

Et Julie prit peu à peu une place grandissante dans la vie et le cœur de Frédéric, ainsi qu'auprès des enfants qui trouvèrent en elle une affection et une attention qu'ils n'avaient jamais connues.

De marmiton à Maître Queux

 Dans la branche maternelle de la famille de Guillaume, il y avait une tradition fortuite qui pourtant se perpétuait inéluctablement à chaque nouvelle génération : les filles étaient toutes des femmes de tête, au caractère bien trempé, qui menaient leurs affaires rondement. Et elles trouvaient pour époux des génies du logis, des maris qui adoraient cocooner leur femme, pouponner leurs enfants, et tiraient fierté du succès de leurs épouses.

A commencer par Jacqueline, son arrière-grand-mère, qui s'était retrouvée veuve très jeune et s'était pourtant débrouillée toute seule pendant de longues années avec deux filles à élever. L'aînée, Paulette, était devenue professeur de piano et la cadette, Simone, chargée de clientèle dans une grande banque, de belles carrières pour le début du vingtième siècle. Simone avait eu trois filles, dont l'une était journaliste, Cécile, l'autre avait sa fabrique de jouets en bois, Virginie, et la maman de Guillaume, son atelier de céramique. Virginie concevait tous ses modèles, du croquis de base aux couleurs finales, réalisait le premier exemplaire, et laissait de jeunes apprentis faire les copies en série.

Elle avait rencontré Philippe dans le magasin d'outils et matériaux divers pour artistes où il travaillait. Peu de temps après leur mariage, ils eurent le bonheur d'avoir un petit garçon bien dodu et en pleine santé. Quand Guillaume vint au monde, ce fut Philippe qui prit un congé parental pour s'occuper de lui. Il était toujours aux petits soins pour son fils, un vrai Papa poule ! Tant et si bien qu'une grande complicité s'établit entre les deux.

Guillaume était un garçon facile, toujours souriant, et de bonne composition. C'était un plaisir de le voir grandir, car les bêtises qu'il faisaient n'étaient jamais graves, et les soucis qu'il pouvait causer relativement mineurs. Philippe lui communiquait tout son savoir-faire de mari attentionné, et Guillaume, toujours volontaire pour l'aider, devint rapidement soigné et organisé.

Heureusement d'ailleurs, car Virginie était très tête en l'air, et il ne fallait pas compter sur elle pour l'intendance de la maison. Elle pensait toujours à de nouveaux dessins, de nouveaux thèmes pour des assiettes ou des bols de petit déjeuner et planait à dix mille lieues au-dessus de la réalité. Mais elle savait qu'elle pouvait se le permettre parce que Philippe avait les pieds sur terre. Une autre qualité qu'elle appréciait beaucoup, Philippe adorait cuisiner, et Guillaume suivait le même chemin. Très tôt, il était devenu le marmiton de son Papa, et quand il l'aidait aux fourneaux, il arborait fièrement un tablier pour ne pas tacher ses vêtements. Il apprit vite le nom des ustensiles, aliments divers, épices, aromates et condiments, et les passait à son père au fur et à mesure de la recette suivie. A presque dix ans et plusieurs recettes à son actif, Guillaume avait une nette préférence pour la pâtisserie. Il aimait faire les pesées, mélanger consciencieusement les ingrédients et surtout, pour être honnête, goûter les étapes une par une car ils les trouvaient toutes bonnes.

Justement, comme l'anniversaire de Virginie tombait dimanche prochain, Philippe et son fils étaient convenus de faire ensemble les emplettes indispensables pour le repas de fête qu'ils avaient prévu de faire à quatre mains. En entrée, ils feraient une salade fraîcheur de leur composition, avec de la mâche, des miettes de crabe, du pamplemousse rose et de la chair d'avocat. Le plat principal était constitué de sandre à la mangue avec des asperges vertes. Ils s'étaient un peu chamaillés sur le choix du dessert car Guillaume tenait à faire une bûche aux framboises et chocolat blanc qu'il avait vue dans un des magazines de sa mère, mais Philippe trouvait que ça faisait trop Noël. Et puis finalement il avait cédé car ça faisait tellement plaisir à son fils, et la recette promettait d'être fameuse.

Virginie étant interdite de cuisine et de salon pendant que le père et le fils s'affairaient à préparer tout ça, elle partit faire son jogging. En faisant le tour du parc, elle pensait en souriant aux aventures culinaires de son fils. C'est qu'il n'avait pas tout réussi tout de suite évidemment. Il y avait cette fois où le couvercle de la salière qu'il avait mal revissé était tombé dans le plat de viande, avec la moitié de son contenu ! Une autre fois où il avait voulu faire une tarte Tatin, mais il avait oublié son caramel qui était devenu presque noir, alors c'était devenu une tarte au caramel, au vague goût de pomme. La tarte aux prunes aussi, qui avaient rendu tellement de jus que la pâte ressemblait à une éponge mouillée. Mais il s'était vite amélioré, et on voyait bien que cuisiner était une passion. Pour son anniversaire, elle avait droit chaque année à un nouveau dessert. A la Saint Valentin, c'était un gâteau en forme de cœur avec des parfums différents, et toujours de belles décorations. Pour le 1er mai, ils n'oubliaient jamais de lui offrir du muguet, et le reste de l'année, elle avait droit à plein de bouquets sans raison, juste pour le plaisir. Virginie était heureuse et fière, elle avait un mari attentionné et un fils qui promettait de lui ressembler.

Effectivement, comme chaque fois, Guillaume avait tout prévu, tout imaginé. Il commença par mettre la table, avec une jolie nappe rectangulaire vert amande et par-dessus un carré mis de biais couleur bouton d'or. Les assiettes étaient dans les tons verts, alors il mit des serviettes orange pour égayer le tout. Il disposa les couverts en argent des jours de fête, un petit chandelier à chaque bout, et un joli bouquet d'immortelles au centre. Puis il rejoignit son père dans la cuisine et tous deux commencèrent à éplucher, laver, et couper les aliments de la salade. Le poisson demandait à être servi sitôt cuit, il fallait donc le réserver pour la fin. En fait c'est amusant, on pense toujours que ce sont les femmes qui font à manger la plupart du temps, et c'est sûrement vrai pour la cuisine de tous les jours. Mais quand les hommes s'y mettent, généralement les fins gourmets, il ne faut surtout pas les en dissuader car le résultat est toujours à la hauteur de leur sens gustatif.

Philippe pendant ce temps, partit préparer ses paquets cadeaux. Guillaume s'apprêta à attaquer son dessert. Mais catastrophe ! Il ne trouvait les framboises nulle part et en plus ils avaient oublié d'acheter du chocolat noir pour le texte et les décorations sur le gâteau.

Guillaume était déconfit. Il était trop tard pour retourner les chercher, à cette heure-ci, les magasins étaient fermés. Alors, en désespoir de cause, il invoqua les Sorcigentières par la formule magique qu'il connaissait par cœur.

Bisbille fut la première à répondre. Elle atterrit sur le bord de l'évier et lui dit :

— Mon Garçon, tu tombes mal, ne me demande rien, nous sommes en grève !

— En grève ! Mais pourquoi ?

— Par solidarité avec les humains !

— Mais nous ne sommes pas en grève, s'écria Guillaume dépité.

— Et bien justement, il fallait bien qu'on s'y mette.

Guillaume ne savait plus quoi penser. Il s'apprêtait à supplier Bisbille de faire une petite exception, quand Fouillassonne la rejoignit.

— N'écoute pas Bisbille, elle est très contrariée. Nous sommes en grève parce que des Lutins, Farfadets, Sorciers et autres membres de la gent masculine ont demandé à rejoindre le clan des Sorcigentières.

— Et où est le problème ? demanda Guillaume qui ne voyait pas en quoi ça justifiait une grève, puisque chez lui les hommes et femmes partageaient tout.

— Bisbille a peur que cela remette en cause notre statut, jusqu'à notre nom même. Alors nous protestons pour conserver notre identité si particulière.

— Et je ne peux vraiment rien vous demander ?

— Oh ! Mais ce n'est que pour une journée. Demain nous serons fidèles au poste, c'est promis.

— Mais c'est là, tout de suite, que j'ai besoin de votre aide, dans une heure je dois servir un gâteau à ma Maman pour son anniversaire, et je n'ai ni les framboises ni le chocolat dont j'ai besoin.

— Guillaume, fais travailler ton imagination. Sois créatif, inventif ! Ne t'enferme pas dans ta recette.

Et sur ce, elles s'envolèrent toutes les deux, au moment où Philippe revenait dans la cuisine.

Guillaume raconta ce qui lui arrivait à son père, en omettant délibérément sa conversation avec les Sorcigentières car il n'était pas très fier de lui. Puis il dit :

— Qu'est-ce qu'on va faire maintenant ?

Son père ouvrit le réfrigérateur, cherchant une solution, puis fit le tour de la cuisine des yeux et s'arrêta sur la coupe de fruits. Guillaume surprit son regard et sût précisément quoi faire.

— Les kiwis ! s'exclama-t-il.

— C'est exactement ce que je pensais. C'est vrai, rien ne t'oblige à respecter intégralement la recette. Quant à la décoration, voyons, voyons. Pourquoi ne pas remplacer le chocolat avec de la liqueur de noix ? Je crois que ça irait bien avec les kiwis, tu ne crois pas ?

Guillaume trouva l'idée formidable. Il éplucha les fruits, les réduisit en crème pour son gâteau et le mit au four. Une fois cuit, il versa de la liqueur de noix dans un bol, et tendit un pinceau tout fin à son Père pour qu'il écrive à sa place « Joyeux Anniversaire » sur le dessus de la bûche. En fin de compte, le gâteau était magnifique.

Sur ces entrefaites, Virginie venait de rentrer et, sans passer la tête dans la cuisine puisqu'elle n'en avait pas le droit, elle demanda si elle avait le temps d'aller se doucher.

— Oui, oui, pas de problème, répondirent-ils en chœur.

Ils commencèrent alors à faire cuire le poisson tout doucement, pour qu'il soit prêt juste après l'entrée. Puis ils se mirent à table, et Virginie ouvrit ses paquets. Philippe lui avait acheté une parure en émail, collier, boucles d'oreilles et bracelet assortis, et Guillaume s'était appliqué à confectionner une 'boîte à trésors' en papier mâché qu'il avait peint avec un très joli motif géométrique dans les tons bleus.

Elle était toute contente. Guillaume fit le service, et ils se régalèrent du début à la fin. Le père comme le fils se gardèrent bien de raconter leur mésaventure, et Virginie ne pouvait soupçonner quoi que ce soit car la bûche était excellente. Il n'est certes pas utile de dévoiler les incidents de parcours quand on a tout de même réussi à faire ce qu'on voulait. Ce repas d'anniversaire eut un succès incontestable, et Virginie se sentait comblée. Elle et Philippe quittèrent la table pour prendre leur café au salon, pendant que

Guillaume débarrassait. Ils se demandèrent vers quoi leur fils aller se diriger plus tard. S'il allait rompre la tradition en créant sa propre entreprise et en épousant une fée du logis. Mais ils n'y étaient pas du tout. Guillaume suivi des études commerciales qu'il réussit brillamment, et ne semblait pas du tout pressé de trouver l'âme sœur.

Jusqu'à ce qu'un jour, parce qu'il aimait toujours autant déguster de bons plats, il s'arrête dans un relais-châteaux pour déjeuner. Et là ! Quelle ne fut pas sa surprise en découvrant sur le menu, dans la section des desserts, une bûche aux kiwis. La coïncidence était si énorme qu'il y vit un signe du destin. Quand vint le moment de payer, il demanda à voir le responsable du restaurant.

Une très jolie jeune-femme s'avança et lui demanda :

— Quelque chose ne va pas Monsieur ? Vous n'êtes pas satisfait ?

— Au contraire, au contraire ! Tout était parfait ! Je voulais juste vous faire une petite suggestion, si je peux me permettre, essayez la liqueur de noix au lieu du chocolat sur votre bûche, vous verrez, c'est fameux !

Elle le regarda un peu surprise et dit :

— Vous êtes du métier peut-être ?

— Non, mais je fais petits plats et pâtisseries depuis des années, alors je m'y connais un peu et j'adore ça !

Devenu client régulier de ce restaurant, ils échangeaient chaque fois quelques nouvelles recettes. Et de fil en aiguille, un peu plus que des recettes. Jusqu'au jour au Guillaume proposa à Chantal d'emménager avec lui. S'il n'y eut point de mariage, c'est parce qu'ils n'en voyaient pas la nécessité. En revanche, ils eurent plusieurs enfants, et Guillaume, devenu Maître Queux pour le compte de sa femme, se fit un devoir de leur apprendre à chacun à s'acquitter des tâches ménagères comme à faire de la bonne cuisine !

Une rancœur tenace

 À Chanterelle-sous-bois, petite ville d'environ deux mille habitants, il règne une atmosphère paisible car la population est heureuse d'y vivre. C'est la campagne, il y a tous les commerces de première nécessité, aucun trouble-fête, et les anciens peuvent faire leurs courses à pied. Pourtant, il y a une ombre à ce beau tableau champêtre, une rancœur tenace entre les occupants du 40 de l'impasse des Châtaigniers et ceux du 42. Les trois maisons qui terminaient l'impasse en fer à cheval, étaient celle de la famille Findru, celle de Claude Dubout juste en face, et entre les deux, celle de la famille Kudsak, au-delà de laquelle commençait la forêt.

Or les familles Findru et Kudsak ne se parlaient plus depuis des lustres. Si on demandait aux Chanterellois la raison de cette querelle, on n'obtenait pas grand-chose car l'affaire était un peu tombée dans l'oubli. Au mieux, on s'entendait répondre :

— Oh ! C'est une vieille histoire !

— Allez savoir ! C'est comme ça !

Tout avait commencé à cause d'un noyer que Marcel Findru et son épouse avaient planté peu après leur mariage. Il avait poussé avec vigueur et donnait des fruits magnifiques, mais par un caprice de la nature, son tronc partait de biais, et la moitié du feuillage et des noix tombait chez leur voisin,

Robert Kudsak. Et ce dernier trouvait que cet arbre occultait la lumière du soleil et qu'il était particulièrement casse-pied d'avoir à ramasser feuilles et fruits chaque automne, d'autant qu'il n'aimait pas les noix.

Alors un jour, profitant d'une absence de Marcel Findru, il se mit à tailler le noyer au ras du muret, de son côté de la clôture, et le résultat était franchement vilain. A son retour, Marcel le prit très mal. Il partit sonner chez Robert Kudsak et lui exprima vertement sa façon de penser :
— Mais qu'est-ce qui vous a pris ? Il ne vous a rien fait cet arbre ! Et puis vous auriez pu me demander avant, c'est pas votre arbre tout de même !
— Et bien justement, il n'avait rien à faire à m'envahir avec ses branches, ses feuilles mortes et ses noix partout. Il y a longtemps que vous auriez dû le tailler.
— N'empêche que c'est pas des façons de faire, ça, vous auriez dû m'en parler, on aurait trouvé un arrangement. Y'a pas intérêt à ce qu'il meure maintenant !
Et Marcel repartit chez lui furieux. Il essaya tant bien que mal de redonner une forme décente à son arbre, mais celui-ci fut tellement rabattu qu'il ne donna plus jamais de fruits. Depuis, les deux familles s'ignoraient. On avait laissé pousser les haies de thuya en épaisseur comme en hauteur pour bien se barricader chez soi, on fermait tous les volets à la tombée de la nuit pour être sûr de ne pas être vu, et chacun vécu à côté de l'autre comme s'il n'existait pas. Si par malheur Marcel et Robert devaient se croiser dans la rue, il

y en avait toujours un qui changeait de trottoir ; quand l'un voulait acheter son pain et que l'autre se trouvait à la boulangerie, il allait acheter sa viande à la place. Bref, ils s'évitaient autant qu'ils pouvaient.

Les années passèrent, Robert Kudsak et sa femme décédèrent et leur fils unique Paul vint occuper la maison, avec son épouse Carmen et leurs enfants. Marcel Findru proche des soixante-dix ans maintenant, la vue et l'ouïe affaiblies, s'obstinait à croire dur comme fer que ses voisins étaient d'affreux gredins, égoïstes et saboteurs. Devenu veuf, il se renferma sur lui-même et devint de plus en plus ours. Il savait pourtant bien qu'il avait affaire à la deuxième génération, mais comme on dit que les chiens ne font pas des chats, il ne voyait aucune raison de changer son opinion, et le ressentiment persistait.

Un jour, alors que Marcel Findru avait de gros ennuis de santé et qu'il était à l'hôpital depuis déjà un moment, les Kudsak décidèrent d'aller vivre ailleurs et vendirent leur maison à la famille Toubon, un couple avec une petite fille. Comme Marcel était encore en convalescence, le déménagement des uns et l'emménagement des autres eurent lieu en son absence, sans qu'il en ait vent.

Monsieur et Madame Toubon avaient choisi de vivre à Chanterelles-sous-bois parce que l'unique charcutier-traiteur comptait prendre sa retraite et cherchait désespérément un repreneur. Comme l'un et l'autre étaient du métier mais souhaitaient vivre en province, ils répondirent rapidement à l'annonce et l'affaire fût vite conclue, pour le plus grand bonheur des Chanterellois qui craignaient de perdre un aussi bon commerce.

La famille Toubon entendit rapidement parler de ces querelles de clochers. Mais comme ils n'étaient pas concernés, et qu'ils savaient que Monsieur Findru était âgé et malade en plus, ils ont trouvé tout naturel de lui rendre service et d'entretenir son jardin jusqu'à son retour. Celui-ci avait bien fermé sa maison mais oublié de verrouiller le portail. Ils passèrent donc la tondeuse régulièrement et arrosèrent ses plates-bandes pendant plusieurs semaines.

Quand Marcel revint chez lui, enfin guéri, il n'en croyait pas ses yeux. Le jardin était tout propret, les jonquilles, narcisses et tulipes en fleurs, et la pelouse fraîchement tondue. Il pensa bien entendu qu'il ne pouvait s'agir que de son voisin d'en face, Claude Dubout, vieux garçon de son état. Sachant qu'ils ne s'étaient jamais liés d'amitié et se contentaient de la courtoisie d'usage depuis toujours, Marcel était tout de même un peu surpris de tant de dévouement, mais il se dit que Claude devait s'ennuyer tout seul et avait trouvé là de quoi s'occuper. En cherchant dans les tiroirs de son petit bureau, il trouva une vieille carte jaunie, une petite aquarelle, sur laquelle il écrivit « merci pour le jardin ». Quand il sortit le lendemain faire ses courses, il déposa son mot dans la boîte aux lettres de Monsieur Dubout.

Arrivé sur la place du village, il remplit son cabas au cours des halles, prit son pain à la boulangerie, puis entra chez le charcutier.

Ne reconnaissant pas le couple qui s'y tenait, il demanda :

— Z'êtes nouveaux ?

— Oui monsieur, depuis un mois déjà.

— Z'allez pas fermer alors ?

— Pas si nos clients sont satisfaits monsieur, on aime la région et on compte bien y rester !

— Tant mieux, tant mieux. Donnez-moi donc deux tranches de jambon et un saucisson s'il vous plaît. Ah, et puis une part de flan aux pruneaux. Ce sera tout.

Monsieur Toubon lui prépara sa commande et dit, en lui remettant ses petits paquets :

— Voilà Monsieur. En vous souhaitant une bonne journée.

— De même, répondit Marcel.

Et il s'en retourna chez lui. Il se disait que c'était une bonne chose d'avoir réussi à garder un charcutier en ville, et que ces deux jeunes gens avaient l'air plutôt sympathiques, sans savoir bien sûr qu'ils étaient ses nouveaux voisins.

Dans l'après-midi, alors qu'il taillait ses rosiers, il vit une petite fille devant sa clôture, qui s'était arrêtée pour caresser son chat, étendu sur le muret à se chauffer au soleil. Maintenant qu'il avait récupéré son maître après une longue absence, il n'était pas près de vagabonder à nouveau. Marcel se figea pour l'observer, ne sachant pas qui elle pouvait être - autrement il ne lui aurait jamais parlé - se rapprocha d'elle et lui dit d'un ton bougon :

— Biscotte

Lucie Toubon, car c'était elle, n'avait pas besoin de longs discours pour comprendre ce qu'on essayait de lui dire. Elle lui répondit aussitôt :

— Alors c'est une demoiselle ?

— C'est ça, Biscotte, répéta Marcel.

Et Lucie, qui grignotait des framboises et adorait partager, lui en tendit une poignée spontanément.

— Tiens, c'est pour vous, je les ai cueillies ce matin.

Marcel leva son chapeau en guise de salut et de remerciement tout à la fois, et Lucie continua son chemin en sautillant. Quelles étaient bonnes ces framboises ! Sûrement que cette petite fille était d'une bonne famille puisqu'elle avait bon cœur. Pas comme ses ignobles voisins !

A partir de ce jour Lucie qui était toujours prête à se faire de nouveaux amis, prit l'habitude de faire une pause pour caresser Biscotte, et quand sa mère avait fait un bon gâteau, elle en laissait une part soigneusement emballée sur le muret. Lequel gâteau n'était jamais là le lendemain, mais Marcel Findru ne se montrait pas pour autant.

Un jour, le trouvant décidément trop triste et solitaire, elle invoqua les Sorcigentières. A Fouillassonne qui s'était posée sur le rebord de sa fenêtre, elle demanda :

— Est-ce que vous pouvez rendre mon voisin un peu plus heureux ? Ma Maman m'a toujours dit qu'il faut donner son sourire à celui qui n'en n'a plus parce que c'est lui qui en a le plus besoin. Alors je fais tout ce que je peux pour être gentille avec lui, mais ça n'a pas l'air de servir à grand-chose.

— Détrompe-toi fillette, il est touché plus que tu ne penses, mais il n'a pas trop l'habitude de remercier, et de plus, il ne sait même pas que ça vient de toi. Mais je t'assure que tu lui mets du baume au cœur. Attends encore un peu, je m'occupe de le mettre sur la piste. D'accord ?

— D'accord, répondit Lucie rassurée.

Effectivement, quelques jours plus tard, Marcel entra chez le traiteur pour acheter un digestif qu'il comptait offrir à Claude Dubout, persuadé qu'il était l'auteur de toutes ces gâteries.

Il dit à Monsieur Toubon :

— Qu'est-ce que vous auriez comme eau de vie à me proposer ?

— J'ai de la mirabelle si vous voulez, fameuse !

— Va pour la mirabelle. Pouvez me l'emballer dans une jolie boîte ? Je voudrais l'offrir à mon voisin Dubout pour tout ce qu'il a fait pour moi depuis ma maladie.

— Ah oui ? Quoi donc ? demanda-t-il en emballant la petite bouteille.

— Ben il a tondu ma pelouse, pris soin de mes fleurs, et depuis mon retour, il me laisse régulièrement une part de son dessert.

Monsieur Toubon se mit à rire. Comme dans sa famille, on était du genre discret et pas à chercher la publicité pour les bienfaits, ils avaient choisi de laisser Marcel prendre son temps pour se dérider. Mais devant ce malentendu, il se découvrit :

— Les desserts, c'est ma fille qui vous les laisse, et le jardin, c'était ma femme et moi parce que nous sommes voisins.

— Mes voisins, quels voisins ? A ma droite il n'y a presque

jamais personne, et à ma gauche, ce sont des filous.

— Ah, Monsieur Findru, les choses changent, les choses changent. Vos filous comme vous dites, nous ont vendu leur maison. Nous sommes donc vos nouveaux voisins.

— Et pourquoi tant de gentillesse alors ? demanda Marcel si confus qu'il en devint presque agressif !

— Pour rendre service pardi ! Il vous faut une raison à vous pour faire plaisir ?

— Mais on ne se connaît pas !

— Oh mais si qu'on se connaît ! Il ne se passe pas trois jours sans que vous veniez dans ma boutique, ça suffit pas ça ? Au fait, moi c'est Jacques, dit-il en tendant la main par-dessus le comptoir avec un sourire d'une oreille à l'autre.

Et il ajouta, avec un clin d'œil :

— Le papa de Lucie.

Marcel lui serra la main, mais il était si embarrassé qu'il ne savait plus quoi faire avec sa bouteille de mirabelle. Il n'allait quand même pas l'offrir à Monsieur Toubon puisqu'il venait de lui acheter. Alors il paya et sortit avec, en se disant qu'il allait devoir trouver autre chose. Il lui fallut une semaine pour accepter l'idée que son entêtement était une erreur, et qu'il s'était comporté comme un goujat ! Pas facile de reconnaître qu'on s'est trompé et pourtant, il était grand temps de l'admettre.

Comme on s'approchait de Pâques, il partit acheter un gros lapin en chocolat avec plein de surprises dedans. C'était sûrement une bonne idée ça, pour la petite Lucie. De retour chez lui, il ajouta un petit mot à son cadeau, et partit sonner chez ses voisins, sa grosse boîte sous le bras. Quand Françoise Toubon ouvrit la porte, il devint cramoisi et lui dit :

— Je crois qu'il y a eu confusion ! Mes excuses Madame, je suis votre voisin.

— Mais je vous en prie Monsieur Findru, y'a pas de mal. On ne voulait pas vous bousculer. Mais entrez donc, entrez, entrez ! Ça me fait très plaisir.

Et de ce jour, Marcel Findru racontait à qui voulait l'entendre qu'il avait de charmants voisins ! Quant à Claude Dubout, il n'avait pas compris pourquoi il avait reçu une carte de remerciement, alors il l'avait mise à la corbeille, pensant qu'il s'agissait d'une erreur.

Réel et virtuel

 Aneesa habite dans une tour d'un quartier populaire. Elle a un frère, Idriss, qui va sur ses dix-huit ans, et une Maman infirmière, Mariam. Mais pas de Papa. Ou plutôt plus de Papa. Son père et sa mère se sont rencontrés au Mali pendant leurs études, et quand Cheikna est devenu médecin, il a épousé Mariam. A l'époque, il n'avait qu'une idée en tête, s'était de venir s'installer en France, où il pensait que la situation serait meilleure qu'au Mali. Malheureusement, en tant que médecin étranger, il avait eu le choix entre retourner étudier plusieurs années car son diplôme n'était pas reconnu, ou occuper des postes subalternes. Comme ils avaient déjà un fils et que Mariam attendait un autre enfant, la deuxième solution était la seule envisageable. Il a tenu ainsi quelques années, mais un jour, las de n'être pas valorisé, Cheikna a laissé femme et enfants pour retourner vivre à Bamako, espérant regagner un peu du prestige qu'il avait perdu.

Mariam élevait donc seule ses deux enfants depuis trois ans, ce qui était difficile entre ses gardes, le travail du week-end, la fatigue, et l'adolescence d'Idriss et Aneesa qui se manifestait de façon totalement différente. Idriss était le portrait de son père. Grand, mince, au visage noble et hermétique, il avait très mal pris le départ de son père, dont il rendait sa mère responsable. Il était dur avec elle, insolent la plupart du temps, se considérait assez grand pour ne pas lui obéir, et ne communiquait avec personne. Il avait peu d'amis au lycée, et passait son temps sur Internet à correspondre avec de parfaits inconnus à tous les coins de la planète. Aneesa au contraire, ressemblait à sa mère. Plus petite et robuste, totalement dévouée et prévenante, avec un trop plein d'affection à donner comme à recevoir. Elle avait le contact facile et faisait souvent de nouvelles connaissances. Cet abandon paternel l'avait beaucoup fait réfléchir. Quand sa mère leur avait demandé à tous les deux d'essayer d'être raisonnables et responsables les jours et les nuits où ils seraient seuls, elle avait pris cette requête pour une telle marque de confiance, tout en sachant qu'elle n'avait pas le choix, qu'elle faisait de son mieux pour l'honorer. A trois sur un seul salaire, Aneesa avait conscience des sacrifices à faire. Mais elle voulait faire davantage pour aider sa mère. Alors un soir qu'elle n'arrivait pas à dormir car sa tête fourmillait d'idées pas toujours réalistes d'ailleurs, Bisbille, la pipelette des Sorcigentières, était venue lui donner quelques conseils. Assise en tailleur sur un coin d'oreiller pour lui faire face, elle fit comprendre à la jeune fille qu'elle était assez grande pour envisager d'assumer des tâches rémunérées.

— Comme quoi ? avait demandé Aneesa

— Tu es bonne en français, tu peux essayer de donner des leçons particulières à ceux qui ont du mal, tu peux garder des enfants tout en continuant à faire tes devoirs. Il y a plein de choses que tu es tout à fait capable de faire, rien que dans ton immeuble.

Le lendemain matin, cette conversation dont elle n'aurait su dire si elle l'avait rêvée ou si elle avait vraiment eu lieu, avait donné plein d'énergie à Aneesa. Elle rédigea une petite annonce d'offre de services dont elle fit plein d'exemplaires qu'elle distribua dans les boîtes aux lettres. Et les résultats ne se firent pas attendre. Elle fut rapidement connue, à la Tour D, comme la solution de dernière minute.

Son frère au contraire, profitait des absences de leur mère pour se laisser aller, passant des heures avec ses « chat room » et négligeant ses études. Il avait des facilités qui lui permettaient, avec un minimum d'effort, de passer dans la classe supérieure. Souvent très juste, mais ça lui suffisait. Alors de temps en temps le frère et la sœur se disputaient car Aneesa lui rappelait régulièrement qu'il allait bientôt passer son Baccalauréat.

— De quoi j'me mêle ? lui répondait Idriss

— Tu sais, ce que j'en dis, c'est pour toi. N'empêche que tu vas pas dépendre de Maman encore des années parce que tu auras raté tes études.

— Parce que mademoiselle gagne un peu de sous, tu te crois autorisée à m'faire la morale ?

— Mais pas du tout, ce n'est pas ce que je voulais dire. Seulement tu vois comme Maman est fatiguée, tu pourrais être plus sympa avec elle au lieu de passer des heures avec des gens que tu ne connais même pas.

— Laisse, t'es qu'une fille, tu peux pas comprendre !

— Ah elle est facile celle-là ! Quand tu sais plus quoi dire, c'est tout ce que tu trouves ?

— Bon fiche-moi la paix Aneesa, c'est pas à toi que j'en veux, laisse-moi seul OK ?

Aneesa n'avait jamais le dernier mot, mais ce qui l'embêtait c'était de voir son frère s'enfermer dans son monde virtuel. Rien de ce qui constitue le quotidien ne semblait l'atteindre ou le regarder. Ce qui était d'autant plus injuste qu'il fallait bien que quelqu'un d'autre s'en occupe, en l'occurrence elle quand sa mère n'était pas là. Heureusement, Aneesa a une très bonne amie, Tala, une Iranienne qui habite un étage plus bas et de l'autre côté de l'immeuble. Le matin, elles se retrouvent souvent dans l'ascenseur et prennent le bus ensemble pour aller à l'école. Elles se racontent toutes les petites histoires du quartier. On pourrait croire qu'elles font des commérages, mais en fait elles se sentent l'une comme l'autre concernées par leur entourage. En parlant du monsieur qui habite tout seul dans le petit deux pièces à côté de chez elle, Aneesa dit :

— J'ai vu Monsieur Kader hier au soir, il n'avait pas l'air bien. Il m'a dit bonsoir, comme d'habitude, mais d'une voix si triste et si faible ! J'espère qu'il ne va pas tomber malade.

— Moi j'ai rencontré Madame Gongalvez, elle en a assez de nettoyer après ces nuls qui laissent leurs mégots partout dans l'entrée. Elle m'a fait rire parce qu'elle m'a dit qu'elle en a attrapé un l'autre jour, tout freluquet, et qu'entre sa corpulence à elle et son balai, il n'en menait pas large. Après quelques coups sur la tête, il a détalé comme un lapin. !

Les deux jeunes filles rient, mais Aneesa redevient vite

sérieuse et ajoute :

— Elle a bien raison de ne pas se laisser faire. Dès qu'ils ont un peu de poil au menton ou sous le nez, ils se croient des durs. Ça me fait rire ! Et j'en vois pas un aider sa mère à porter les courses, ou son père à réparer un moteur en panne.

— Pour ça, t'as raison, c'est toujours les mêmes qui se démènent. L'autre jour, je suis allée chercher Karine pour la garder, et sa mère faisait trois choses en même temps dis donc. Elle parlait au téléphone, remuait son dîner dans la casserole, et du pied elle balançait le petit lit de sa dernière.

— Je sais de quoi tu parles, chez nous c'est la même chose tu sais. Idriss ne fait rien, alors c'est moi qui me tape tout le boulot.

— Comme d'hab. quoi !

Sur ce, elles se séparent car elles sont arrivées devant leur école, mais ne sont pas dans la même classe.

— Allez, bonne journée !

— Ciao, peut-être à ce soir ?

— Peut-être.

La journée passe très vite, mais Aneesa fait le retour toute seule. Tala devait avoir eu un cours en moins, ou en plus. Elle le saurait demain. Le bus s'arrête à la Cité des Peupliers, où Aneesa descend. Elle ne peut s'empêcher de penser que c'est un nom stupide parce qu'il y a, en tout et pour tout, un peuplier et un seul au milieu d'un carré de béton. Ils auraient dû l'appeler la cité Du Peuplier, ou au moins en planter un deuxième pour justifier le pluriel. C'était vraiment se moquer du monde. On voit bien que ceux qui font construire des tours, c'est pas ceux qui les habitent, se dit-elle.

Et puis son regard est attiré par un attroupement de policiers devant l'entrée de son immeuble. Elle a le cœur qui bat plus vite. Qu'est-ce qu'il a bien pu se passer ? Pourvu que ce ne soit pas sa mère.

Arrêtée dans sa course par un policier qui bloque le passage, elle a juste le temps de voir son voisin allongé par terre comme un pantin, avec plein de sang autour de sa tête.

— Oh non ! s'écrie-t-elle. Monsieur Kader, qu'est-ce qui lui est arrivé ?

— Vous le connaissiez ? demande le policier d'un ton sec.

— Un peu seulement, c'est notre voisin. J'habite au neuvième étage, porte 3, lui c'est la porte 2. C'est un accident n'est-ce pas ?

— Je ne crois pas non. Vous rentrez chez vous là ? On pourra venir vous interroger ? dit-il en inscrivant quelque chose sur son carnet.

Muette, Aneesa lève les yeux vers son étage, et voit une fenêtre béante, malgré le vent et le froid. Et elle a peur de comprendre.

- Je serais là, je ne bouge pas. Famille Eyadélé, dit-elle comme un automate.

Le policier la laisse passer.

Dans l'ascenseur, elle appuie sur le huit pour voir si Tala est rentrée. Encore toute retournée, elle sonne à sa porte, mais malheureusement, il n'y a personne. Alors elle gravit à pied le dernier étage qui lui reste, d'un pas pesant, comme si son corps avait pris dix kilos d'un coup.

Idriss est déjà là, sur son ordinateur comme d'habitude. Et ça met Aneesa en colère :

— A quelle heure t'es rentré ? Avant ou après sa mort ? dit-elle agressive

— Eh ! Doucement, de qui parles-tu ?

— De monsieur Kader, qui s'est tué devant chez nous.

— Ah, parce qu'en plus tu connais son nom ? Oui, je l'ai vu si c'est ça que tu veux savoir.

— Et c'est tout ce que ça te fait ?

— Tu veux quand même pas que je pleure pour quelqu'un que je ne connais pas non ?

— Non t'as raison, garde ton cœur pour tes potes virtuels !

— Je vois pas le rapport.

— Oh ! Laisse tomber. Et pour railler son frère, elle ajoute en haussant les épaules :

— T'es qu'un mec, tu peux pas comprendre.

En passant dans le couloir pour aller à sa chambre, elle entend la sonnette. Elle va vite ouvrir, pensant qu'il pourrait s'agir d'un policier, mais c'est Tala, qui a le visage aussi déconfit que le sien. Elles se serrent dans les bras l'une de l'autre.

— Entre Tala, je te cherchais. Je suis contente que tu sois venue.

— C'est affreux cette histoire, en plus tu en parlais ce matin.

— Je sais, je m'en veux, je me dis que j'aurais dû insister quand je l'ai vu si triste.

—Eh ! Stop ! Ne va pas te culpabiliser pour autant. Tu peux pas porter le monde sur tes épaules. Et puis je suis sûre que tu étais son petit rayon de soleil quand tu l'aidais à porter ses courses, ou en lui disant bonjour tout simplement. Tu sais, je ne l'ai jamais vu avec quelqu'un et personne ne s'intéressait à lui, à part toi.

— Je sais bien, et c'est ça qui me chagrine. Il avait rien de méchant, il vivait tout seul c'est tout. Il n'a jamais embêté qui que ce soit.

Elles se taisent un moment, songeuses. Et Aneesa reprend :

— Quand même, c'est bizarre les hommes. Alors quand ils ont des problèmes, c'est soit ils s'enfuient, soit ils font l'autruche, ou ils se jettent par la fenêtre ? C'est ça la solution ? Ils ne peuvent pas communiquer comme nous, partager leurs joies, leurs peines, leurs soucis ? Parler quoi ?

Tala qui vient d'une famille unie et n'a pas eu à affronter les mêmes difficultés que son amie, ne dit rien. Elle comprend la colère d'Aneesa et lui prend la main pour la réconforter.

— T'inquiètes va, ils sont pas tous comme ça.

— Tu sais le plus bête ? Il y a trois jours, il nous manquait du sel à la maison, alors j'ai sonné chez lui pour voir s'il pouvait nous en donner. Et il avait l'air tout content de pouvoir me rendre service dis donc. Alors hier soir, si seulement il avait pu nous manquer, je sais pas moi, du pain, de l'huile, n'importe quoi, qui sait ? Peut-être que ça aurait tout changé.

— T'es bien optimiste tu sais, à mon avis, y'a que la date qui aurait changé. Mais qu'est-ce que j'en sais ?!

— Oui, qu'est-ce qu'on en sait. Parfois il suffit de si peu de choses, murmure Aneesa.

Sur ces mots, Idriss apparaît dans l'encadrement de la porte, vêtu d'un jean noir, baskets, T-shirt et casquette assortis, exécute un tour complet sur lui-même et demande :

— A votre avis les filles, ça ira comme ça ?

— Ça ira pourquoi ? lui dit Aneesa éberluée

— Bah ! Pour l'enterrement tiens ! Je suppose que Maman et toi allez y aller, alors tu crois pas que j'vais vous laisser toutes seules, non ?

Tala regarde son ami et lui fait un clin d'œil. Elle se permet un commentaire :

— Impec ! Mais pour la casquette, laisse tomber !

Et Aneesa, tout à coup soulagée de voir son frère remettre les pieds sur terre, lui saute au cou pour le remercier.

Trois générations sous le même toit

Maman est tracassée. Sa mère vient de l'appeler pour lui raconter ses derniers déboires : la maison qu'elle se fait construire n'est pas prête, et l'appartement qu'elle quitte est déjà reloué. Ce qui veut dire qu'elle se retrouve sans logement à la fin de la semaine, pour une durée qu'elle ignore encore. Evidemment personne ne s'attendait à ça, mais on ne peut pas laisser grand-maman à la rue. Il va donc falloir l'héberger, et comme chaque fois qu'elle a un problème, nous ne sommes prévenus qu'à la dernière minute. Au téléphone, j'entends ma mère lui dire :

— Et tu viens seulement de l'apprendre ?

Et je devine la réponse classique :

— Oh ! Non ! Mais je n'ai pas voulu vous embêter plus tôt avec ça.

— Maman, je t'ai dit mille fois qu'Alain et moi n'avons aucun problème à t'aider, mais qu'on aimerait bien savoir les choses à l'avance pour qu'on s'organise !

Suivie de :

— Tu vois, je savais que ça allait t'embêter !

J'ai beau n'avoir que douze ans, j'ai entendu des dizaines de fois ma mère et sa mère se disputer, et c'est toujours pareil, chacune reproche quelque chose à l'autre. En fait, j'aime bien grand-maman, avec moi elle est gentille et bizarrement pleine de patience. Mais avec sa fille, elle lui cherche tout le temps des poux dans la tête. Au fait, il faut que je vous présente : Maman s'appelle Céline, sa mère Hélène, Papa Alain, et moi c'est Chloé. Mes parents disent que je suis très observatrice. C'est vrai. Je passe plus de temps à écouter et regarder les autres qu'à parler, on apprend tout un tas de choses comme ça. On pourrait croire que je suis réservée, mais ce n'est pas ça du tout. Et puis comme je n'ai ni frère ni sœur, je n'ai pas l'habitude de parler toute seule. En tout cas, je sens que ce soir le dîner va être animé.

Effectivement, quand nous nous sommes retrouvés à table, Maman aborde à petits pas le sujet de l'après-midi. Papa comprend très vite les conséquences de cette nouvelle :

— Bon, et bien je suppose que ce week-end nous n'irons pas en goguette s'il faut chercher ta mère et ses affaires. Je suis très content que tu veuilles l'aider. Mais si ça doit durer longtemps, il y en a une de vous deux qui devra mettre de l'eau dans son vin, vu que vous passez difficilement plus de trois jours sans vous taper sur les nerfs. Je te préviens, je ne m'en mêlerais pas.

— Merci Alain, c'est vraiment gentil d'accepter, et je te promets de faire des efforts. Tu verras, tout ira bien.

Le week-end arrive, et le déménagement se passe plutôt bien car Hélène a réussi à obtenir que ses meubles et sa vaisselle puissent être regroupés dans la partie finie de la future maison. Le soir, pour nous remercier, grand-maman a offert une très belle pipe en écume à Papa, un parfum à Maman, et un grand puzzle pour moi. Nous l'avons écouté pendant des heures car elle parle beaucoup, puis maman et elles ont fait une liste des courses qu'il y aurait à faire lundi puisque le temps nous avait manqué. En fait, ils ont trouvé tous les trois une solution qui arrange tout le monde. Au lieu de faire venir la jeune-fille qui vient me chercher à l'école, m'aide à faire mes devoirs et prépare le dîner, grand-maman s'en occupera puisqu'elle sera à demeure. Elle a dit :

— De cette façon ça compensera les dépenses supplémentaires, sinon je serais très gênée d'accepter votre invitation.

Je ne me souviens pas d'avoir déjà vu ma grand-mère gênée en quoi que ce soit, ni d'avoir entendu maman l'inviter au téléphone, mais ça ne me regarde pas.

Lundi, durant la journée, Hélène se charge des courses comme convenu. Elle vient me chercher à l'école et nous voilà parties bras-dessus, bras-dessous vers la maison. En chemin, elle s'arrête à la boulangerie pour m'acheter un pain aux raisins pour le goûter. Puis nous nous installons sur la table à manger et je lui montre ce que j'ai à faire. En fait, il n'y a rien de très dur, je lui dis que je pense pouvoir me débrouiller toute seule. Alors elle se met à préparer le dîner et ça sent vite bien bon. Le temps de finir mes quelques devoirs et de m'installer sur une grande planche pour commencer mon puzzle, Maman arrive la première. Après m'avoir embrassée, elle se dirige vers la cuisine. Et je l'entends s'exclamer :

— Tu as fait une soupe, et de la purée aussi ? Mais il ne fallait pas t'embêter, j'ai des briques d'avance et elles sont très bonnes.

— Tu ne vas pas comparer ces machins tout faits avec des légumes frais et préparés à la main. Ce n'est pas comme ça qu'on mangeait chez nous. Jamais de conserves, jamais de cartons.

— Je te rappelle que tu avais le temps à l'époque, mais moi je travaille. Alors à l'heure où je rentre, je ne vois pas comment je pourrais me mettre à la cuisine tous les soirs pendant deux heures.

— Mais je ne te reproche rien ma chérie, profite seulement de ma présence pour manger correctement.

— Mais on mange très bien qu'est-ce que tu crois !

Sur ce, je la vois revenir au salon en se pinçant les lèvres. C'est signe qu'elle a encore d'autres choses sur le cœur mais qu'elle s'est retenue. Papa arrive un peu plus tard, et nous nous mettons à dîner à presque vingt heures. Il y a donc de la soupe maison à la tomate et au basilic, un rôti de veau avec de la purée maison, et des fruits. Papa, qui n'a pas assisté à la petite anicroche de la soirée, met les pieds dans le plat :

— Qu'est-ce qu'elle est bonne cette soupe ! C'est vous qui l'avez préparée Hélène ?

Et ma grand-mère de renchérir :

— Bien sûr qu'est-ce que vous croyez. Je sais encore faire la cuisine moi !

Ma mère la fusille du regard, mais grand-maman ne s'en soucie guère, c'est sa première victoire. Après dîner, pendant que mère et fille débarrassent la table, Papa lit son journal et je me remets à mon puzzle. Le silence est vite rompu. De la cuisine, on entend :

— Qu'est-ce que tu as fait avec mes placards ? dit ma mère.

— Oh ! Trois fois rien. Je les ai réarrangés parce que ce n'était vraiment pas pratique pour trouver quelque chose.

— Mais je ne t'ai pas demandé de chambouler mon organisation !

— C'est ça que tu appelles être organisée ?

— Maman, je regrette de te rappeler que c'est notre maison, et que je rangerais nos affaires comme nous l'entendons. Et pas à ta façon. Et puis qu'est-ce que c'est que ces yoghourts ? Ce n'est pas la marque que je prends.

— Moi c'est ceux que j'achète. Tu verras, ils sont très bons.

— Tu as juré de changer tout ce qu'il y a chez nous ou quoi ? Tu peux t'acheter les yoghourts que tu aimes, mais pour nous, j'aimerais bien que tu respectes nos goûts.

Sur ce, maman revient dans le salon, et s'affale dans le fauteuil avec un gros soupir.

— Chéri, ce n'est pas au bout de trois jours qu'elle m'énerve, ça fait moins de quarante-huit heures, et je suis déjà tendue.

Mon père se lève et debout derrière son fauteuil, lui masse tendrement le cou et les épaules.

— Allez, relaxe-toi. Après tout, est-ce que c'est si important que ça si l'huile est dans le placard de gauche et le sucre dans le placard de droite ? Je ne pense pas que ça mérite une dispute si tu veux mon avis.

— Je sais, tu as raison. Mais c'est le fait que tout doit être fait à sa façon qui m'irrite fortement. Comme si je ne savais rien faire. A l'entendre, elle fait tout bien et moi je suis complètement nulle.

— Depuis des années que ça dure, tu ne crois pas que ça ne devrait plus t'affecter ? Me suis-je jamais plaint de ta façon de ranger, ou de ce que nous mangeons, ou je ne sais quoi encore ? Alors laisse-la dire, c'est sa façon de se sentir utile. Tu prends la mouche trop facilement. N'oublie pas que depuis qu'elle est veuve, elle n'a personne pour apprécier ce qu'elle fait.

Quand nous montons nous coucher, maman est enfin détendue, et grand-maman tout sourire. La semaine entière se passe de la même manière. Grand-maman trouve à redire à pratiquement tout.

Maman a eu droit à :

— Tu as changé de marque de lessive ? La mienne ne te plaisait pas ?

A mon avis vous ne devriez pas laisser Chloé regarder les informations. Elle est trop jeune pour entendre toutes ces catastrophes et voir toutes ces horreurs.

— Ma petite fille, tu devrais t'habiller de façon plus féminine. Je ne te vois plus qu'en pantalon. Ce n'est pas très séduisant pour ton mari.

Et ainsi de suite. Maman suit stoïquement les conseils de Papa. Elle ne répond que quand c'est nécessaire, du ton le plus léger possible. Mais on sent qu'il y a une tension permanente à la maison. Je me rends compte que c'est une chose quand grand-maman vient nous voir pour quelques heures, et tout une autre de vivre tous les quatre ensemble. Un soir que je n'arrivais pas à m'endormir, j'ai décidé d'en parler aux Sorcigentières.

A la formule « Agabatur Ruob Manipot », c'est Escagasse qui a répondu.

— Rutabaga, Topinambour, mon sang ne fait qu'un tour, je vole à ton secours. De quoi as-tu besoin Chloé ?

— Je voudrais comprendre pourquoi Maman et sa mère ne peuvent pas s'entendre quand elles vivent ensemble alors que je sais qu'elles s'aiment très fort.

— Quand vous autres humains devenez adultes, vous faites des choix personnels, de travail, de conjoint, de mode de vie, tout un tas de choses en fonction de vous et non plus de vos parents. Mais adulte ou pas, vous ne cessez jamais d'être un petit enfant à leurs yeux. Et parfois, certains parents ont du mal à accepter que leurs enfants soient autonomes et fassent différemment qu'eux. C'est comme si tu mettais deux coqs dans une basse-cour, ça ne se passe jamais bien. Il n'y a rien de bien grave à tout ça, mais c'est souvent source de conflits.

— C'est pour cela que je vous en parle, maman et grand-maman n'arrêtent pas de se chamailler. Vous ne pouvez pas faire quelque chose pour que ça s'arrête ?

— Hélas non, nous ne changeons pas le caractère des gens. Mais j'ai une bonne nouvelle pour toi, la maison de ta grand-mère est prête, dans quelques jours elle pourra emménager chez elle.

Effectivement, le week-end arrive et nous voilà tous affairés à rassembler les effets d'Hélène, et à l'aider à s'installer. Entre sa joie de pouvoir enfin être chez elle, et notre soulagement de voir la fin d'une période difficile, nous sommes tous de bonne humeur et très motivés. Mais de retour à la maison, nous voilà devenus étrangement silencieux. Et le dîner à trois est presque triste. Alors histoire de briser le silence, je risque un :

— Elle va nous manquer grand-maman.

Et ma mère renchérit :

— C'est sûr qu'elle prenait de la place, ça fait tout vide maintenant.

Mon père hoche la tête :

— Ah ! Ce que les femmes sont compliquées ! Ensembles vous ne vous supportez pas, et séparées vous vous manquez !

Ma mère me regarde du coin de l'œil, et nous éclatons de rire, car il n'a pas tout à fait tort.

Il n'y a pas de rose sans épine

Samnang est complexé. Alors que tous ses camarades ont des mamans qui ont un beau métier ou qui non pas besoin de travailler, sa maman à lui, Néang, est une domestique chez des gens fortunés. La famille Paterson, avec ses cinq enfants fait partie du gratin de San Francisco et occupe un étage complet dans un luxueux immeuble d'un des quartiers les plus chics de la ville. Tandis que sa mère et lui habitent une petite aile retirée de l'appartement. Il n'aime pas ça du tout, il a honte de dire qu'ils n'ont pas d'endroit à eux, que ses parents ont divorcé, et que sa mère fait le ménage chez les autres.

Pourtant Samnang ne manque de rien. Il est choyé par sa mère, et considéré comme un égal par les parents Paterson. Néang est même tellement appréciée de ses employeurs, qu'ils font tout pour l'aider à élever seule son enfant, jusqu'à payer ses études dans la même école privée que leurs propres enfants. Mais que sait un petit garçon de dix ans des sacrifices d'une mère ?

Plein de rancœurs, souvent en colère contre la vie, le monde, tout et n'importe quoi, il se confie à son petit bonzaï, ultime cadeau de son père avant son départ. Or un jour, Greluche qui le trouvait bien ingrat, décida de lui donner une petite leçon. Elle transforma son érable miniature en arbre magique doué de parole. Le soir venu, quand Samnang déversa ses sempiternels reproches sur son copain qu'il avait appelé Nakinpote, il fut abasourdi de l'entendre répondre :

— Samnang, as-tu mangé ce soir ?

— Oh ça alors ! Tu parles maintenant ? Ben oui j'ai mangé.

— Etait-ce bon ?

— Très bon.

— C'est comme ça tous les jours ?

— Bah ! Oui. Mais pourquoi toutes ces questions ?

— Pour rien Samnang, bonne nuit.

Le lendemain matin, il s'adressa à Nakinpote pour voir s'il avait rêvé ou non, mais peine perdue, le petit arbre restait silencieux. Il se dit qu'il était bien ridicule de croire qu'un arbre avait pu lui parler, et n'y pensa plus en allant à l'école. Cependant, au moment du coucher, après avoir raconté sa journée à Nakinpote, ce dernier se remit à l'interroger :

— Samnang, est-ce que tu dors par terre ?

— Tu vois bien que non, je suis dans mon lit.

— Hélas non, je peux entendre et parler, mais je ne vois rien. Est-ce qu'il est dur comme la paillasse d'un prisonnier ?

— Mais pas du tout, il est très moelleux !

— As-tu bien chaud en hiver ?

— Bien sûr parce que ma mère rajoute des couvertures. Mais vas-tu me dire à la fin pourquoi toutes ces questions ?

— Pour rien Samnang, bonne nuit.

— Oh ! Toi, tu vas finir par m'énerver si tu continues. Je ne te souhaite pas une bonne nuit.

Le jour suivant, même mutisme de Nakinpote. Samnang

n'est pas arrivé à son école qu'il est déjà irrité. A la récréation, au lieu de jouer avec ses copains, il va bouder dans son coin, en réfléchissant aux étranges conversations que lui tient son ami bonzaï. Ne voyant pas l'intérêt de ce genre de discussions, il se dit qu'il ne lui adressera pas la parole avant de dormir.

Mais à peine les yeux fermés, le voilà qui entend :

— Samnang, es-tu habillé de guenilles ?

— Tais-toi, je ne veux pas t'entendre.

— Samnang, as-tu les pieds déformés par des chaussures trop petites ?

— Je ne te répondrais pas, tu deviens désagréable.

— Samnang, es-tu trempé en automne et glacé en hiver ?

— Cette fois-ci, ça suffit ! dit le petit garçon. Et il donne un coup de poing sur le bonzaï pour le faire taire. Mais celui-ci rebondit plusieurs fois dans un concert de « jboïng » et retrouve sa forme initiale.

— Bonne nuit Samnang, répond-il à l'agression par sa politesse inébranlable.

Mais Samnang ne dort pas bien du tout. Il fait même des cauchemars où il se voit abandonné dans la neige, à peine vêtu alors qu'il fait un froid glacial, affamé depuis des jours, cherchant désespérément un refuge où s'abriter. Quand sa maman vient le réveiller et qu'il réalise qu'il est bien au chaud dans son lit douillet, il lui saute au cou et lui fait un gros bisou complètement inattendu. Néang, surprise, se contente de cette seconde de bonheur sans rien dire, de peur de faire disparaître la bonne humeur de son fils. C'est si rare de le voir ainsi.

Soir après soir, le rituel continue et Nakinpote s'obstine. Samnang a beau mettre son oreiller sur sa tête, il l'entend décortiquer sa vie sous toutes ses coutures et ça l'exaspère. Une fois, n'y tenant plus, il balaye son chevet d'un brutal revers de la main, envoyant valser le bonzaï à l'autre bout de la chambre. Celui se retrouve couché, hors de son pot, avec son terreau éparpillé. Samnang s'en veut un peu, il a plutôt l'air pitoyable dans cet état.

Mais avant qu'il ait le temps de sortir de son lit pour réparer les dégâts, Nakinpote se redresse et se met à rassembler un peu de terre autour de lui avec ses racines, puis reprend son questionnaire comme si de rien n'était :

— Samnang, est-ce que tu sais lire et écrire ?

— Evidemment, comme tous les enfants ! Quelle question stupide !

— Perdu ! Tous les enfants ne vont pas à l'école. A ton âge, il y en a même beaucoup qui travaillent déjà. Samnang, est-ce que tu es harassé de fatigue quand tu rentres de l'école ?

— Euh, non, pas vraiment.

Sur ce, Samnang se lève et va rempoter son copain pour le placer à nouveau sur sa table de nuit.

— Bonne nuit Nakinpote, excuse-moi pour tout à l'heure.

— Y'a pas de mal. Dors bien Samnang.

En se retrouvant en cours, Samnang médite sur ce que Nakinpote lui a dit. Est-ce possible, des enfants qui ne vont pas à l'école ? Et qui doivent gagner leur vie en plus ? Et sa maman, à quel âge a-t-elle commencé à travailler ? A-t-elle été dans une bonne école ? Il se rend compte tout à coup qu'il ne sait pas grand-chose d'elle. D'abord parce que sa maman n'a pas beaucoup de temps à elle pour pouvoir s'épancher, et puis parce qu'il ne l'a jamais entendue se plaindre de quoi que ce soit. Alors le soir, il décide d'inverser les rôles et d'interroger son ami :

— Nakinpote, si je te pose des questions, tu me répondras ?

— Je n'attendais que ça mon garçon.

— Pourquoi maman n'a pas un vrai métier ?

— Mais elle a un vrai métier, elle travaille tous les jours et elle est payée pour ça.

— Oui mais je veux dire un métier où elle ne travaille pas chez les autres. Je ne sais pas moi, docteur, avocate, professeur.

— Samnang, quand on veut gagner sa vie, on travaille toujours pour quelqu'un, que ce soit un patron ou des clients. Et pour être professeur ou docteur comme tu dis, il faut faire de longues études. Comment penses-tu que vous pourriez vivre si ta mère étudiait ?

Hum ! Samnang n'avait pas vu les choses sous cet angle.

— A quel âge elle a quitté l'école ?

— Ta maman vient d'une famille qui lui a permis d'étudier jusqu'à seize ans, ce qui est exceptionnel pour une fille de son pays. Ensuite, ses parents l'ont mariée très jeune à un riche commerçant, Vong, ton père. Ta mère était la maîtresse de maison et n'avait donc pas besoin de travailler. Mais à cause des évènements et de leurs croyances, ils ont été obligés de fuir leur pays. S'ils ont réussi à venir aux Etats-

Unis, il leur a fallu tout recommencer, apprendre une autre langue, de nouvelles lois, des coutumes différentes. Et ton père a rencontré une autre personne avec laquelle il est parti. Maintenant, ta mère qui n'a jamais été préparée à ça, fait tout ce qu'elle peut pour pouvoir t'élever.

Samnang réfléchit à ce qu'il vient d'entendre. Il trouve rassurant de savoir qu'il vient d'une bonne famille comme ses copains d'école, et le dit à Nakinpote :

— Alors on était riche avant n'est-ce pas ?

Que tu es sot et vaniteux Samnang ! Quelle importance que tes parents aient été aisés ou non puisqu'il n'en reste rien ! Ta vraie richesse petit homme, c'est d'avoir une maman qui a tous les courages, qui a tout quitté pour protéger sa famille. Oh ! Bien sûr, elle ne fera pas la une des informations, et ne sera jamais l'héroïne d'un grand film comme tu les aimes. Le courage dont je te parle, c'est celui de faire face à ses responsabilités quoi qu'il en coûte, de se lever chaque matin pour accomplir son devoir sans jamais s'en plaindre. Celui de remonter ses manches devant le malheur et de mettre sa dignité de côté pour que son petit garçon ne manque de rien. De ne pas se laisser abattre et démissionner avant d'avoir tout essayé. Tu es grand maintenant Samnang, tu peux comprendre tout ce que je t'ai dit et choisir entre deux comportements : passer pour une victime ou un rescapé chanceux. Je te dirais que les gens n'aiment pas beaucoup les victimes, ils n'ont pas le temps de s'apitoyer sur le sort des autres.

Samnang se sent un peu honteux. C'est vrai qu'il pense plus

à lui qu'à sa maman. Et pourtant, il voit bien qu'elle est souvent fatiguée, qu'elle a déjà des cheveux blancs alors qu'elle est encore jeune.

— Je te promets d'être plus gentil à l'avenir, dit-il à Nakinpote.

— Mais ce n'est pas à moi que tu dois faire cette promesse, c'est à toi-même. Bonne nuit Samnang.

— Bonne nuit Nakinpote. Finalement, je t'aime bien quand même.

A dater de ce jour, Samnang fit de gros efforts. Il devint attentif et affectueux avec sa mère, et cessa de la harceler de reproches. Son ami ne manquait pas de l'en féliciter d'ailleurs.

Jusqu'à ce qu'un jour, Greluche jugeant la transformation définitive, ôta la parole au bonzaï. Celui-ci se mit à pousser, et plus Samnang mûrissait, plus il voyait son petit arbre s'épanouir, à sa grande fierté. Alors, aidé de sa mère, il le mit dans un plus grand pot et l'installa au salon, devant la fenêtre, en pleine lumière. Et quand Samnang devint un petit homme doué de raison, Nakinpote touchait le plafond de ses belles branches en ombelle. Il n'avait plus rien d'un bonzaï, mais il était le plus bel arbre d'intérieur que personne ait jamais vu !

L'art et la manière de dire les choses

 Demain, c'est l'ouverture du carnaval pour les Sorcigentières. Pendant une semaine, elles ont le droit, partout dans le monde, de faire absolument ce qu'elles veulent à condition que le résultat de leurs agissements soit positif. Aujourd'hui est donc un grand jour, puisqu'elles se réunissent pour décider de leurs tours de passe-passe carnavalesques. Les débats sont longs et animés, mais le sujet qui revient sans cesse est la piètre façon de communiquer de certains humains, et cette propension qu'ils ont à se disputer pour des broutilles et à s'invectiver sans limite. A l'unanimité, il est donc adopté comme cheval de bataille pour la semaine à venir.

Après avoir décortiqué toutes les attitudes à bannir, elles tombent d'accord sur plusieurs méthodes à mettre en application. Malypense propose qu'à chaque insulte, juron, et autres gros mots inacceptables, hommes et femmes se mordent la langue ou l'intérieur des joues. Athlétis, une nouvelle recrue, a une idée de génie. Chaque objet utilisé dans un accès de violence, se retournera comme un boomerang sur celui ou celle qui l'aura lancé. Fouillassonne se chargera de transformer en langage prévenant et fleuri les critiques en tout genre, tout en faisant perdre une touffe de cheveux aux auteurs de commentaires désagréables. C'est que les cheveux sont très importants chez les humains, et la calvitie source de gros complexes. Quand les gens se mettront à crier au lieu de parler normalement, Escagasse enverra un son très désagréable dans leurs oreilles pour qu'ils baissent le ton. Pour les enfants, c'est plus délicat. S'il faut sévir en cas d'impertinence, mensonges ou refus d'obéissance, Bisbille trouve que le mieux à faire est de les faire trébucher sans raison, pour qu'ils se retrouvent par terre sur leur popotin. Très humiliant ça aussi ! Et Greluche veillera à ce que les coups donnés soient détournés de leur but.

Elles peaufinent les détails et se distribuent les tâches pour aborder ce qu'elles appelèrent 'la semaine du respect'. Après tout, il y avait la journée sans tabac, la journée des femmes, la journée de la courtoisie au volant, alors pourquoi pas une semaine entière de comportement sociable, aimable et poli. Il est certain que ça changerait beaucoup de choses. Alors pour observer les conséquences de leurs stratagèmes, rendons-nous invisibles pour passer les sept jours suivants auprès de la famille Urlagogo.

Le père, Hugo, est colérique et souvent grossier. La mère, Mathilde, crie pour un oui ou pour un non. Et leurs deux enfants, Mégane, neuf ans, et Cédric, sept ans, sous l'influence du comportement de leurs parents, n'ont rien à leur envier. La plus grande s'enfonce dans le mensonge, et le fils est en pleine période capricieuse.

Arrive le lundi matin. Comme généralement au lever du jour, ils sont tous trop endormis pour parler beaucoup, le petit déjeuner est avalé en silence et rapidement. Hugo part le premier au travail, et Mathilde se charge de préparer les enfants pour les emmener à l'école. Cédric traîne, et sa sœur s'en irrite :

— Cédric, dépêche-toi, on va être en retard.

— Fiche-moi la paix, je fais ce que je veux d'abord, lui répond-il en la poussant des deux mains.

Sauf qu'au lieu de déstabiliser sa sœur ou de tomber en avant, pouf, le voilà les fesses par terre, assis bêtement sans savoir comme il s'y est pris. Il se met à pleurer, non pas parce qu'il s'est fait mal, mais parce qu'il est très vexé.

Mathilde arrive pour les secouer, et se met à crier :

— Bon sang de bonsoir ! Mais qu'est-ce que j'ai fait pour avoir des enfants pareils !

A peine sa phrase prononcée, elle entend un sifflement qui lui fait mal aux oreilles, comme une craie qui grince sur un tableau. Puis elle voit avec stupéfaction une mèche de ses cheveux tomber sur son chemisier. Les enfants, eux, ont entendu :

— Mes chéris, il faut accélérer la cadence, il vous reste cinq minutes avant de partir.

Cédric et Mégane se regardent, étonnés qu'elle ne soit pas en colère. Ils finissent de s'habiller, attrapent leur cartable, et les voilà tous en route vers l'école.

A la récréation, Cédric qui a des tendances à être brutal et à se bagarrer facilement, s'est retrouvé cinq fois par terre sans comprendre, et ses fesses commencent à être endolories.

Le soir, une fois la famille au complet, Hugo s'affale dans son fauteuil comme un malotru, et réclame :

— Eh ! Mon whisky ça vient ?

Hugo regarde, éberlué, une touffe de ses cheveux atterrir sur ses genoux, et Mathilde entend à la place :

— Chérie, ça t'ennuierait de me servir un verre s'il te plaît ?

Pensant n'avoir pas bien entendu, elle revient dans le salon et lui dit :

— Qu'est-ce qui t'arrive, tu te sens bien ?

— Mais oui bien sûr, un peu stressé car j'ai eu une mauvaise journée, mais ça va, merci.

Elle se dit qu'elle doit rêver. Elle lui porte son verre et s'assoit dans le deuxième fauteuil.

Quand ils passent à table, Mathilde remarque que Mégane a une grosse tache verte sur son pantalon.

Elle ouvre la bouche pour lui crier dessus :

— Tu t'es encore … Aïe ! Mais qu'est-ce que tu peux être … Aïe …

Puis elle se frotte la joue qu'elle vient de se mordre deux fois de suite, et ses oreilles qui bourdonnent méchamment.

Mégane, qui a compris :

— Ma fille, tu t'es encore salie à l'école ? Qu'est-ce que c'est que cette tache ?

compte incriminer sa copine, alors qu'elle est la seule coupable :

— C'est pas moi, c'est Sylvie, elle a renversé son pot de peinture sur moi !

Et patatras, la chaise s'incline toute seule en arrière, et Mégane se retrouve à l'horizontal. Ce qu'elle a l'air ridicule !

— Enfin, je veux dire que j'ai renversé le pot sur Sylvie et sur moi. Je suis désolée.

Hugo, qui n'a rien compris à ce qu'il vient de voir, mais trouve le plat trop salé, en fait le reproche à sa femme :

— Quelle … Aïe … tu fais ! T'es pas … Aïe … de faire la cuisine ma parole !

Enervé par ce cirque, il tape du poing sur la table. Mais aussitôt, sa main lui rebondit dans la figure, et il se prend un pain magistral sur le nez.

Sans compassion, les enfants éclatent de rire. Le père est furieux :

— Mais c'est bientôt fini oui ? On va pouvoir manger tranquille ?

Ouille, il entend comme un crissement de pneus de voiture dans ses oreilles, et il a mal au nez. Mais il peut difficilement enguirlander qui que ce soit, il a bien vu que personne n'y est pour rien.

Le reste de la soirée se passe plus calmement devant la télévision, personne n'ayant rien à dire, jusqu'à l'heure du coucher.

Le lendemain matin, Mathilde se démène pour enfiler une robe qui lui allait encore il y a peu, mais dans laquelle elle est toute comprimée. Voyant cela, Hugo, toujours aimable, lui dit :

— Ce que tu es … Aïe … dans ce machin ! T'es trop grosse pour porter ça !

Et Hop ! Une autre mèche de cheveux se détache de sa tête pour se poser sur le tapis.

Mathilde qui vient d'entendre :

— Chérie, tu devrais aller te faire plaisir et renouveler ta garde-robe. Ça fait longtemps que tu ne t'es pas acheté des habits.

… lui répond :

— C'est une bonne idée ça. Merci de me le proposer. J'irais peut-être ce week-end.

Elle ne sait pas ce qu'il se passe, mais elle trouve son mari plus délicat depuis deux jours.

Sa journée se passe à peu près normalement, car si elle se permet de crier à la maison, elle fait plus attention au travail. D'ailleurs, ce n'est pas normal. Les gens devraient avoir un blâme pour chaque comportement déplacé chez eux, exactement comme en milieu professionnel.

Hugo a perdu encore quelques cheveux à s'être montré désagréable avec un collègue, et Cédric et Mégane ont passé pas mal de temps à se relever de chutes inexpliquées.

De retour du travail et de l'école, Mathilde et les enfants sont à la maison, mais papa tarde à rentrer. Alors elle fait manger les enfants et va les coucher. Quand Hugo arrive enfin, Mathilde est folle furieuse :

— C'est à cette heure-ci que tu rentres ? Une mèche tombe.

— T'as encore pris un pot avec les copains, c'est ça ? Une deuxième qui suit.

— Ils comptent plus que ta femme et tes enfants comme toujours !

Une troisième.

Mathilde décide de se calmer, elle sent qu'à ce rythme elle va devenir chauve. Elle part dans la cuisine réchauffer le dîner. Hugo ne dit rien, il a trop mal aux joues. Quand Mathilde apporte les spaghettis à la bolognaise, son mari leur trouve un goût de brûlé.

— Décidément, t'es vraiment … Aïe… dit-il en colère car il avait faim. Et il s'empare de son assiette pour la jeter par terre, mais celle-ci rebondit aussitôt et déverse pâtes et sauce sur sa chemise.

— Ah c'est malin ! lui dit sa femme, mais sans crier. Tu peux aller te nettoyer maintenant.

Dans la salle de bains, Hugo s'interroge. Il lui semble bien qu'il lui arrive une bricole à chaque fois qu'il s'énerve ou qu'il va dire un gros mot. Il va falloir que je fasse attention se dit-il, sinon je ne vais même plus pouvoir manger tellement j'ai la bouche qui me fait mal. Il s'approche du miroir pour examiner sa tignasse bouclée dont il était si fier, et s'aperçoit avec horreur qu'il en a beaucoup moins qu'avant autour du front. Il ferait bien d'aller chez le coiffeur.

Mercredi, jour le plus risqué pour les bêtises, Mégane fait tomber un vase auquel sa mère tenait beaucoup. Quand elle rentre du travail et demande à ses deux enfants lequel l'a cassé, elle ment de façon éhontée :

— C'est pas moi, c'est Cédric. Et pouf, la voilà par terre.

— C'est pas vrai, c'est elle, répond-il.

Et il s'avance pour lui donner un coup de pied, mais celui-ci part dans le mur où ses orteils s'écrasent.

— Aïe Aïe Aïe, mon pied. Ouille ! Maman, ça fait mal !

Mathilde, qui commence à avoir une vague idée de ce qui

leur arrive, leur dit :

— Ça t'apprendra à vouloir mentir Mégane. Et toi à vouloir taper ta sœur.

En quelques jours, les Urlagogo ont vite appris à tourner sept fois leur langue dans leur bouche comme on dit, avant de hausser le ton, raconter des sornettes ou débiter des insanités.

Partout dans le monde, les Sorcigentières se tordaient de rire. Ah ! Mes amis, quel spectacle ! Il y avait des adultes couverts de bleus, d'autres qui ressemblaient à des épouvantails, des enfants à l'arrière-train meurtri ! Quelle réussite ce carnaval ! Oh ! Bien sûr, il y avait des irréductibles qui n'avaient rien saisi et ne changeraient jamais. Il est malheureusement impossible de corriger tout le monde, mais dans beaucoup de familles, on s'était posé les bonnes questions.

Chez les Urlagogo en tout cas, on avait compris la leçon. Malgré les quelques douleurs ressenties, la fin de la semaine avait ressemblé à des vacances. Mathilde, avant de crier, respirait un bon coup, Hugo avait banni les grossièretés de son vocabulaire, Mégane ne mentait presque plus, et Cédric semblait avoir dépassé la crise des caprices. Quant aux coiffeurs, autre conséquence inattendue de cette semaine mouvementée, ils se trouvèrent débordés de travail, à tenter de rectifier des têtes qui ne ressemblaient plus à rien.

Le rallye des Castors et Marmottes

 Au Val d'Iris, il y a une tradition printanière qui se perpétue depuis des années : le premier week-end de mai, un rallye est organisé par et pour les adultes, sorte de chasse au trésor et prétexte pour passer une journée dehors à explorer la région. Or cette année, quelqu'un a eu la brillante idée d'essayer d'en mettre un en place pour les juniors, avec un chauffeur par voiture pour les emmener d'un point à un autre, sans lien de parenté avec ses passagers de façon à éviter le favoritisme.

On dispose de sept jours pour trouver le point de départ, à l'aide de rébus, charades et autres jeux. Puis le jour J, il faut résoudre différentes énigmes pour se rendre d'une étape à l'autre. Le parcours est bien évidemment chronométré, le but étant d'arriver le plus vite possible au rendez-vous final où tout le monde se retrouvera autour d'un buffet barbecue pour partager un moment de convivialité et distribuer les prix aux équipes. En fait, il n'y aura pas vraiment de perdant car tous les jeunes auront droit à quelque chose, mais l'importance du cadeau ira en décroissant selon l'ordre d'arrivée. Les lots sont constitués de baladeurs, de DVD et CD, de livres et de jeux de sociétés, achetés par les parents qui ont mis leurs contributions en commun.

Vincent et Nathalie, âgés de douze et quinze ans

respectivement, sont tout excités à l'idée de participer pour la première fois à ce jeu normalement réservé aux parents. Ils ont planché toute la semaine pour trouver le point de ralliement, non sans chamailleries. Vincent, féru de cinéma et de jeux vidéo, se voit déjà l'heureux gagnant d'une PlayStation ou d'un lot de nouveaux films. Anxieux de nature, il veut sans cesse solliciter l'intervention des parents, car il a très peur de se tromper de lieu de départ, mais Nathalie refuse catégoriquement. Très joueuse, elle veut savourer chaque moment de ce rallye qu'elle voit comme une occasion de s'amuser une journée entière, et peu lui importe de gagner ou non. Finalement, en combinant les réponses aux différentes questions, ils tombent d'accord sur le fait que le vieux lavoir du village est le seul lieu plausible. Et les parents, qui connaissent la première réponse car ils doivent les conduire au rendez-vous, leur confirment qu'ils ne se sont pas trompés.

Le dimanche matin, au réveil, tout est prêt. Les sandwiches, les boissons, l'appareil photo, une carte bien détaillée de la région, un dictionnaire, des jumelles, des paniers, une boussole et toutes sortes d'accessoires divers et variés. Nathalie saute de joie, Vincent trépigne d'impatience. Les parents ont tant de mal à les contenir qu'ils arrivent les premiers au lavoir en question, avec quinze minutes d'avance. Vincent ne cesse de regarder sa montre et de s'inquiéter :

— On s'est peut-être trompé, c'est pas normal qu'il n'y ait personne

— C'est de ta faute, dit sa sœur. C'est toi qui nous as pressés comme des citrons ce matin par peur de rater le départ.

— Mais je ne dois pas être le seul ! s'exclame-t-il

A cet instant, une deuxième voiture arrive et se gare près d'eux.

— Vous êtes là pour le rallye n'est-ce pas ? demande-t-il à ses occupants.

— Mais non, on vient laver notre linge en famille, répond un grand gaillard.

Vincent pâlit. Il ne comprend pas tout de suite la plaisanterie. Puis voyant les deux autres pouffer de rire, il se force à prendre un ton enjoué et ajoute :

— Bien sûr, bien sûr, comme nous tous ! Et il rejoint sa famille.

Une fois tout le monde sur place, l'organisateur distribue un paquet de huit enveloppes numérotées à chaque équipe, correspondant à trois étapes le matin et cinq l'après-midi. A n'ouvrir qu'en cas d'urgence, chaque enveloppe « de secours » destinée à connaître le lieu de rendez-vous suivant en cas d'échec avec les énigmes, enlèvera un point à l'équipe qui s'en servira. Avec en tout douze équipes concurrentes d'environ trois participants et un chauffeur par véhicule, il se charge de répartir les candidats et d'énoncer les consignes. Un questionnaire est remis à chaque équipe, à remplir durant le parcours, ainsi qu'une liste d'objets à ramener au fur et à mesure de leur excursion, les deux permettant de gagner des points supplémentaires. Il est convenu de se retrouver à vingt heures au lieu mystère, et le top départ est annoncé.

Nathalie se retrouva avec son frère et Jeremy, un copain de classe de Vincent et Jacques comme chauffeur, papa d'une élève d'une autre classe. Vincent lit la première énigme :

— Je peux être bonne ou mauvaise, d'or ou d'argent, ou encore source d'informations.

Nathalie, la plus âgée des trois, met deux minutes à trouver le mot clé « mine ». Mais en bonne joueuse, elle veut laisser une chance aux garçons de le trouver par eux-mêmes et se contente de dire :

— Je crois que je sais où nous devons aller.

Il n'y a en effet qu'une seule ville dans les environs à avoir conservé sa vieille mine de charbon transformée en musée. Jeremy et Vincent mettent un peu plus de temps, mais finissent par trouver le bon indice. Les voilà donc partis vers la première étape. Malheureusement, ils ne sont pas les premiers, et quand ils trouvent l'endroit où sont cachés les papiers de l'énigme suivante, il n'en reste plus que dix. Tandis que Nathalie s'affaire à trouver un morceau de charbon et un porte-clés avec un pic miniature qu'ils doivent ramener, les deux garçons complotent.

— Et si on enlevait deux autres papiers, personne ne saurait qui a fait le coup et ça retarderait au moins deux équipes, suggère Vincent.

— Oh ! Ça c'est vache ! s'exclame Jeremy qui lui aussi veut bien gagner mais n'aime pas les coups tordus.

Vincent prend l'air résigné, mais il n'a pas dit son dernier mot. Il cherche déjà une autre tactique pour l'étape suivante.

— Alors j'ai une idée, je vais demander de l'aide aux Sorcigentières.

— A qui ?

— T'inquiètes, je m'en occupe.

La deuxième cachette se trouve dans le puits d'un potier, qui s'en sert pour mélanger son argile et fabriquer de belles pièces de vaisselle et de décoration. Jeremy est fasciné de voir les mains du potier donner naissance à une nouvelle forme sur le tour. Vincent, agacé de les voir perdre un temps précieux, en profite pour s'éloigner, et murmure :

— Agabatur Ruob Manipot.

Malypense atterrit sur son épaule.

— Rutabaga Topinambour. Mon sang ne fait qu'un tour, je vole à ton secours. Que puis-je pour toi ? lui demande-t-elle.

— Nous sommes en retard pour notre rallye. Pourrais-tu s'il te plaît nous dire où se trouve la cachette suivante ?

— As-tu d'abord cherché par toi-même ? demande-t-elle en connaissant la réponse.

— Oui mais c'est difficile, je ne trouve pas, répond Vincent dans un vilain mensonge.

Malypense prend un air ahuri et innocent :

— Et pourquoi devrais-je t'aider plus qu'un autre ? Tu ne cours aucun danger que je sache ?

— Ben parce que je suis le plus jeune alors c'est dur pour moi.

— Tu as des partenaires ce me semble, et les Sorcigentières ne sont pas là pour aider les mauvais joueurs à tricher, dit-elle cette fois sévèrement. Et sur ce, elle disparaît.

Vincent est contrarié de savoir qu'ils ont déjà deux équipes en avance sur eux. Par contre, pendant sa petite conversation secrète avec Malypense, Jeremy et Nathalie ont résolu la prochaine énigme, et ils sont prêts à repartir. Jacques les aide à se repérer sur la carte pour leur apprendre à suivre un itinéraire et servir de co-pilotes, tandis que Vincent boude à l'arrière.

Une fois trouvées les trois premières étapes, il est déjà presque quatorze heures. Il était temps car nos chercheurs de trésor ont faim. Ils ont trouvé pour pic niquer, un coin de fraîcheur à l'ombre d'un érable majestueux, en bordure d'une rivière. Mais les sandwiches, œufs durs et fruits sont vite avalés car Vincent est pressé de repartir. Au fur et à mesure des heures qui s'écoulent, il se renfrogne, regarde sa montre avec obsession, et s'énerve à tenter de remplir le questionnaire.

A l'inverse, Jeremy et Nathalie s'amusent de plus en plus. Ils ont découvert la source d'un ruisseau avec une cressonnière, une madone en pierre cachée dans une grotte dont ils ignoraient l'existence, entraperçu une biche qui s'est enfuie à leur approche, ri de tout et de rien. Tous les sens en éveil, ils se repaissent de beaux paysages, de chants d'oiseaux et des senteurs de la campagne. Ils ont eu également une grosse frayeur dans une forêt, où ils ont tout à coup entendu comme un tonnerre se rapprocher d'eux, et qu'ils ont couru à la voiture pour se mettre à l'abri. Essoufflés et le cœur battant, ils ont pu voir par la fenêtre un sanglier détaler vers les champs, suivi d'une demi-douzaine de marcassins. Ils ont attrapé le fou-rire en voyant ce qui les avait fait courir et eu juste le temps de prendre une photo de la petite famille à quatre pattes.

Mais Vincent ne voit rien de tout ça, restant la plupart du temps dans la voiture, le nez plongé dans ses papiers et le dictionnaire.

S'ils ont accru le retard du matin, l'après-midi ils réussissent à remonter leur score. Ils leur manquaient quelques-uns des objets à rapporter, mais n'ont utilisé aucune enveloppe de secours. Ils arrivent ainsi en cinquième position, avec quarante minutes de retard à leur destination finale. Vincent est frustré et déçu mais Jeremy et Nathalie ont les joues roses de plaisir et des efforts fournis. Il a fait beau toute la journée, et formant une bonne équipe, ils se sont bien divertis.

Pour le dîner, chacun retrouve ses parents et s'assoit à leur table. Les mamans ont préparé des salades composées et des desserts, et les papas grillent des saucisses et des morceaux de poulet sur les barbecues. Les tables sont dressées en U sur la place du village, et la cuisson se passe au centre. Le repas est fameux, les plaisanteries vont bon train, et finalement les adultes ont pris autant de plaisir à préparer ce rallye des castors et marmottes qu'à participer au leur.

Mais quand vient la distribution des prix, Nathalie et Jeremy partent seuls chercher leurs cadeaux, Vincent prétextant avoir mal à la tête. Le fait est qu'il n'a pas beaucoup pris l'air. Ils ont gagné un jeu d'équipe que Nathalie donne à Jeremy car elle l'a déjà, et deux DVD que Jeremy lui laisse en échange.

Malypense, sans y être invitée cette fois, profite de ce moment pour se percher à nouveau sur l'épaule de Vincent.

— Tu vois mon garçon, tu as gâché ta journée tout seul en décidant que la victoire était l'unique but à atteindre. Pourtant, quand on décide de suivre un chemin, ce n'est pas tant la destination qui compte que le plaisir qu'on prend à le parcourir. Sinon, à quoi sert de partir ? Un gâteau sans cerise n'est pas pour autant un mauvais gâteau !

Vincent sait bien que c'est de sa faute s'il n'a pas su apprécier ce rallye. Mais refusant de l'admettre, il balaye son épaule du revers de la main comme pour en chasser un insecte indésirable. Et Malypense, qui a failli tomber à la renverse, reprend son équilibre et s'envole pour une mission plus importante, le laissant méditer sur ces sages paroles.

Monsieur Cellophane

Quand on dit d'une personne qu'elle est insignifiante, c'est en général qu'on ne sait rien d'elle et qu'on est incapable de la décrire. Il s'agit de quelqu'un qui ressemble à tout le monde mais à aucun individu en particulier, ni grand ni petit, ni gros ni maigre, dont on ne se souvient ni de la couleur des cheveux ni des yeux, car on n'y a prêté aucune attention. Si encore il y avait un signe distinctif tel qu'une excroissance sur le nez ou un crâne dégarni, on pourrait au moins les nommer « la dame à la verrue » ou « le monsieur chauve » ! Mais si en plus cette personne était timide, réservée ou misanthrope, alors là, c'était cuit, elle pouvait disparaître du jour au lendemain sans qu'on s'en aperçoive, ange ou démon, génie ou simplet ! Parce que les gens ont cette habitude de ne s'intéresser qu'à ce qui les attire ou les repousse, se singularise en bien ou en mal, et non par ce qui se fond dans la multitude.

C'est ainsi qu'habite Gabriel Dargham, dans un coin retiré de la ville Descœillères, avec deux mille trois cent dix-huit autres habitants qui l'entourent sans jamais s'être aperçus de son existence. Pourtant, ce monsieur « Cellophane » comme on pourrait l'appeler, est un être exceptionnel que beaucoup gagneraient à connaître. Seulement il n'aime pas se mettre en avant, et s'est installé dans cette région précisément pour profiter du calme de l'anonymat et travailler sans relâche à son art. Gabriel est un musicien de génie. Ayant commencé à cinq ans à jouer du piano, il écrivait déjà ses premières partitions à onze ans. Né au Liban, petit pays alors déchiré par la guerre, il avait réussi à se réfugier dans la musique pour oublier les atrocités qui l'entouraient. Il devint rapidement célèbre, car les évènements rendaient la population avide de divertissements, et composait autant pour des artistes nationaux qu'internationaux. Jusqu'à ce jour terrible où un attentat odieux fit exploser son immeuble, emportant sa femme et ses trois enfants, alors qu'il était en train d'enregistrer en studio. A trente et un ans, son inspiration se tarit, son pays lui devint insupportable, et il décida de venir s'installer en France où il avait déjà de sérieux contacts.

Grâce à l'environnement paisible de Desœillères, où il avait acheté la maison d'un ancien garde forestier bien cachée dans la forêt, il parvint à se remettre à composer. S'il avait perdu foi en la race humaine, créer ou interpréter des mélodies le transportait dans un monde imaginaire meilleur, et il ne se sentait jamais seul en compagnie des notes de son piano. Il avait adopté un pseudonyme pour ses œuvres, afin de ne pas être reconnu par ses concitoyens, si bien qu'être transparent à leurs yeux lui convenait parfaitement. Quand il faisait ses courses en ville, Monsieur Cellophane croisait une foule de gens dont le regard le traversait pour se poser plus loin. De toute façon, les Œillèrois n'avaient d'yeux que pour leur célébrité locale, Jérôme Dupin, un jeune athlète de vingt-deux ans qui avait remporté l'an passé le Championnat de France de saut en hauteur. Lui aussi avait vécu vingt et un ans et deux mois dans l'anonymat le plus complet, jusqu'à ces résultats sportifs dont la population s'était saisie pour le porter aux nues. A cet âge-là, le poids de la célébrité est bien lourd à porter. Il peut vous amener à faire les pires comme les meilleurs des choses. Et cette année, face à la crainte de ne pouvoir réitérer ses performances, Jérôme avait pris des anabolisants, substances chimiques illégales pour doper les sportifs et accroître leurs capacités. Malheureusement, il fut contrôlé positif, et les Œillèrois ne lui pardonnèrent pas cet affront. Ils lui tournèrent le dos comme s'ils étaient les victimes d'un complot et que Jérôme les avait personnellement blessés.

Frédérique, fille d'une institutrice et d'un professeur de gymnastique, menait à quatorze ans une existence tout à fait ordinaire avec son petit frère Paul de onze ans. Elle avait deux passions, la musique et le vélo. Elle rêvait d'avoir un piano et d'apprendre à en jouer, mais il n'y avait aucun professeur de musique dans les environs. Alors souvent le week-end, elle partait faire du VTT dans la forêt pendant plusieurs heures.

Ce samedi, sans trop savoir pourquoi, elle décida d'allonger sa ballade. En fait Escagasse, notre Sorcigentière poète, y était pour quelque chose. Elle connaissait le parcours difficile de Gabriel, et le jugeait prêt à s'ouvrir davantage au monde. Et bien sûr, elle n'ignorait rien des rêves de la jeune fille. Alors elle concocta une combine pour ces deux-là.

Dans le silence de la forêt, Frédérique entendit tout à coup jouer du piano. Elle s'arrêta pour essayer de déterminer la provenance de cette mélodie à la fois triste et entraînante, puis reprit son vélo pour s'en approcher, jusqu'à ce qu'elle tombe sur cette vieille maison en pierre dont elle connaissait l'existence mais croyait abandonnée. Repérant un petit terre-plein herbu qui faisait face à la demeure, elle coucha son vélo et s'y assit, pour profiter pleinement de cet instant magique. Le soleil se réfléchissait sur les vitres, ce qui ne lui permettait pas de voir l'intérieur. Autrement, elle aurait aperçu Gabriel installé face au jardin, dont les doigts parcouraient les touches tantôt avec force et vélocité, tantôt d'une douceur comme une longue caresse sur le dos d'un chat. Une heure passa ainsi sans que Frédérique s'en rende compte, laissant la musique pénétrer ses sens et la transporter. Que c'était beau ces notes qui semblaient s'envoler pour atteindre la cime des arbres alentours ! Même les oiseaux s'étaient tus, comme par respect pour ces sons qu'ils ne pouvaient produire. Gabriel trouvait surprenant de voir cette jeune fille rester là sans se lasser. Il faut dire qu'il n'avait pas l'habitude de jouer pour des auditeurs en chair et en os. Quand il fut temps pour lui de faire une pause, il ouvrit sa porte pour lui proposer quelque chose à boire. Frédérique se figea immédiatement, prêt à enfourcher son vélo et disparaître, persuadée qu'elle l'avait dérangé et qu'il devait être furieux. Au lieu de cela, elle entendit une voix grave et chaude :

— Tu dois avoir soif ! Ça fait une heure que tu es assise en plein soleil !

Mince, il savait qu'elle était là depuis le début. Mais il n'avait l'air fâché.

Alors elle lui répondit :

— Ce serait avec plaisir Monsieur, mais je ne veux pas vous importuner.

— Du tout, du tout ! J'ai fait du thé glacé, tu veux en boire avec moi ?

La curiosité l'emporta sur la méfiance. C'est qu'elle n'avait jamais vu un artiste de près.

— Comment t'appelles-tu ?

— Dom, enfin, Dominique.

— Moi c'est Gabriel, Monsieur c'est trop sérieux. Il y a une table et des chaises sur le côté de la maison. Installe-toi, j'apporte le thé tout de suite.

Frédérique lui rappelait sa fille, ou plutôt ce qu'elle aurait pu être si elle avait eu la chance de vivre aussi longtemps. Mais curieusement, c'était agréable et non pas douloureux. Gabriel revint avec un plateau chargé de verres, d'une carafe et de biscuits. Il avait un je ne sais quoi qui la mit à l'aise d'emblée.

Dom avait mille questions qu'elle brûlait de lui poser, mais son instinct lui recommandait de ne pas le bousculer. Tout de même, elle ne put s'empêcher de lui dire :

— C'était magnifique ce que j'ai entendu. C'est de qui ?

Gabriel esquissa un sourire mais ne lui répondit pas.

Elle s'autorisa à lui demander :

— Vous jouez pour le plaisir ou c'est votre métier ?

— C'est comme ça que je gagne ma vie, dit-il modestement.

— Ah ! Alors vous donnez des concerts ? Mais on ne vous a jamais entendu à Desœillères.

— Eh non Frédérique ! Je ne joue jamais en public. Je compose des morceaux, j'écris aussi les textes, mais je laisse ceux qui ont une belle voix les interpréter.

— Ah ! Vous ne cherchez pas à être connu alors ! s'exclama Dom, stupéfaite d'être assise en face d'un auteur-compositeur.

— Tu peux me tutoyer Frédérique, je ne suis pas aussi vieux que j'en ai l'air. Tu as presque raison. En fait, je suis connu dans le monde de la musique, mais des professionnels plus que du public. Ce que j'évite, c'est d'être reconnu en sortant de chez moi.

Il questionna la jeune fille à son tour et découvrit son amour pour la musique. Ils parlèrent de choses et d'autres, et tout à coup il redevint sérieux.

— Tu vois Dom, les gens ont un effroyable pouvoir sur leurs congénères. Du jour au lendemain, si tu fais quelque chose qui leur plaît, ils te propulsent sur un piédestal et te donnent une nouvelle naissance. Mais ils attendent tout de toi en retour, comme si tu leur devais la vie. Et si tu oses les décevoir, ils te font dégringoler tout aussi rapidement. Tu tombes alors dans l'oubli en un rien de temps.

Frédérique, qui se souvient des heures de gloire de Jérôme Dupin et de sa récente chute libre, comprend immédiatement ce qu'il veut dire. Plus tard, quand elle rentre chez elle, elle raconte à ses parents dans le détail sa rencontre avec Gabriel. Très respectueux de l'intimité des autres, ils ne peuvent qu'apprécier son choix de rester dans l'ombre. Au moins, cela prouvait qu'il ne courait pas après les paillettes du Star System. Cependant, après le dîner, ils ont une idée :

— Dom, crois-tu que Gabriel accepterait de te donner des leçons de piano si nous lui promettons de préserver son anonymat ?

Dom n'y avait pas pensé le moins du monde, mais elle trouve l'idée formidable.

— Je lui demanderais demain, si je peux le voir à nouveau.

Le dimanche, elle reprend son itinéraire de la veille à la même heure, et s'assoit au même endroit pour écouter Gabriel s'entraîner. Comme la veille, il sort au bout d'une heure pour lui proposer de partager sa pause. Après quelques propos légers, elle lui parle de la proposition de ses parents. Il réfléchit longuement avant de lui répondre :

— Je veux bien essayer, mais cette promesse dont tu me parles est une condition *sine qua non* à ce projet.

Avec son accord, Frédérique saute sur son vélo pour aller chercher ses parents afin qu'ils se rencontrent et puissent en discuter. L'échange est vite naturel et chaleureux. Gabriel, qui sait sonder les gens, se sent suffisamment en confiance pour tenter l'expérience. Et c'est ainsi que Dom apprit à jouer du piano en toute discrétion avec un illustre musicien. Certes, elle n'avait pas son génie créatif, mais elle avait suffisamment de talent pour interpréter des styles très variés. Aussi décida-t-elle de suivre la voie de l'enseignement comme ses parents, et devint plus tard, à Desœillères, l'unique professeur de piano pour enfants dont les gens aient jamais entendu parler. Et Gabriel resta Monsieur Cellophane, avec toutefois des amis en plus qui avaient réussi à briser sa carapace d'ours solitaire, pour son plus grand bonheur.

La maison désenchantée

Solange, Jean-Luc Nickelle, et leur fille Vanessa, habitent une belle maison fort bien entretenue. Des deux parents, curieusement, c'est le père qui est le plus méticuleux et ordonné. Il ne supporte pas le fouillis, ne laisse jamais un magazine traîner sur la table basse ou des vêtements éparpillés n'importe où. Féru d'art en général, et de sculptures en particulier, il dispose ses bibelots de façon très précise sur les étagères. Le jardin est manucuré de la même manière. La pelouse ressemble à une moquette au point qu'on ose à peine y marcher, et les plates-bandes abondamment fleuries sont totalement dépourvues de mauvaises herbes. Bref, c'est une belle maison, parfaite pour des adultes, totalement inadaptée pour des enfants. D'ailleurs, si Solange a trouvé ça contraignant au début mais s'en est vite accommodée, s'amusant même de voir son mari repositionner ses affaires après avoir fait le ménage, ces règles sont vécues différemment par leur unique petite fille de dix ans. Bien sûr, Vanessa a appris à ranger sa chambre comme il faut et à ne rien laisser derrière elle, mais elle n'oserait jamais sortir plusieurs jeux de leur malle pour les porter au salon, ou tout simplement faire un peu la folle, ce qui paraît bien normal à son âge. Quant à inviter ses camarades pour une fête ou un anniversaire, elle n'y songe même plus. C'est chaque fois

trop de souci et de travail pour tout remettre en ordre, et sa meilleure amie Magali, un tantinet maladroite, finit toujours par renverser ou casser quelque chose. C'est que Magali Traucoule vient d'un tout autre univers. Etant cinq enfants dans un espace similaire à celui des Nickelle, il serait utopique et vain d'essayer constamment d'avoir un intérieur parfait. Magali a l'habitude de jouer avec ses frères et sœurs aussi bien dans leurs chambres que dans le salon, le premier étage est leur royaume et chacun est libre de courir comme de jouer dans le jardin. Certes, il y a des règles, bien nécessaires quand on vit à sept personnes sous le même toit, mais les priorités ne sont pas les mêmes, et quand vient le jour du grand ménage, tout le monde s'y met en s'amusant. Généreux, les parents Traucoule aiment avant tout entendre des rires d'enfants et avoir leur porte toujours ouverte. La maison ne désemplit jamais, les amis comme les voisins sont toujours les bienvenus, et on s'adapte à toutes les situations, pourvu que cette maison respire la vie. Comme Vanessa est souvent invitée chez son amie, elle voit bien la différence, et s'en attriste chaque fois davantage. Un jour, n'y tenant plus, elle décide d'en parler à sa mère :

— Maman, à quoi ça sert d'avoir une maison toujours propre et bien rangée alors que personne ne vient jamais à l'improviste ?

La question prend Solange de court. Elle ne se l'était jamais posée, et surtout n'avait pas imaginé que sa fille puisse mal vivre la situation.

— Pourquoi dis-tu cela ? demande-t-elle pour gagner du

temps et trouver une bonne réponse.

— Parce que je voudrais bien pouvoir inviter mes amis plus souvent mais c'est difficile parce qu'il faut faire attention à trop de choses, et qu'on ne peut pas s'amuser comme on veut. D'ailleurs c'est vrai, j'ai beau tout nettoyer après leur départ, Papa trouve toujours quelque chose qui le contrarie. Alors à force, c'est pas drôle. Tu verrais chez Magali, c'est autre chose. Peut-être qu'il trouverait leur maison désordonnée, mais qu'est-ce qu'on rigole là-bas !

— Et tu voudrais que ce soit pareil chez nous ? Tu trouves notre maison triste ?

— Bah ce serait bien de pouvoir la fête de temps en temps, non ? De toute façon on est que trois, alors ce sera jamais un bazar comme chez Magali.

— Que suggère-tu alors ?

— Agabatur, Ruob Manipot, murmure Vanessa qui n'attendait que ça.

Dans la seconde, la Sorcigentière Greluche atterrit sur son épaule, oubliant de se rendre invisible :

— Rutabaga, Topinambour, mon sang ne fait qu'un tour, je vole à ton secours.

— Mais qu'est-ce que c'est que ça ? s'exclame Solange

— ÇA, comme vous dites, est une Sorcigentière, pour vous servir ! répondit notre amie un peu froissée par cette appellation irrespectueuse. Si vous me permettez, je crois savoir comment détendre l'atmosphère de votre foyer, lance-t-elle pour vexer Solange à son tour.

Après quelques présentations nécessaires pour éclaircir la

situation, mère et fille s'accordent pour laisser la Sorcigentière exercer ses talents car elles n'ont pas d'autre solution en vue.

Le jour même, Greluche commence par déplacer tous les « attrape-poussière » du salon, comme elle les appelle. Puis, faisant le tour de la maison, elle inverse le sens du rouleau de papier de toilettes, remet debout la bouteille de shampoing pour homme que Jean-Luc préfère poser la tête en bas, pour utiliser jusqu'à la dernière goutte. Elle ouvre le frigidaire et mélange les yoghourts nature avec ceux aux fruits car elle sait qu'il déteste ça. Bref, elle sème la pagaille dans toutes les pièces.

Quand Jean-Luc rentre du travail, il remarque immédiatement ce qui ne va pas dans le salon, mais remet chaque objet patiemment à sa place, pensant que sa femme avait dû être drôlement distraite en faisant le ménage. Puis il va chercher une boisson dans le frigidaire et voit le contenu tout chamboulé. Sans être du genre à faire des reproches, il s'étonne tout de même de ces changements et demande à sa femme :

Dis-moi Solange, tu as nettoyé le frigidaire aujourd'hui ?

— Non pourquoi ?

— Et tu n'as pas passé le plumeau dans le salon par hasard ? ajoute-t-il au lieu de répondre.

— Mais non, on est Jeudi aujourd'hui, tu sais bien que c'est ma journée entre copines, pas le jour du ménage. Quelque chose ne va pas ?

Jean-Luc, qui sait que Solange ne craint jamais de dire la

vérité, ne s'explique pas ce désordre.

— Non, non, rien, j'avais cru c'est tout.

Fouillassonne qui passait par-là pour vérifier que sa consœur faisait bien son travail, se mit à tancer Greluche vertement :

— Dis donc, mais où as-tu la tête par moment ? Tu réalises ce que tu es en train de faire ?

— Quoi, quelle erreur ai-je encore commise ? demande Greluche sincèrement étonnée.

— De la façon dont tu t'y prends, ces changements de décor risquent de retomber sur la mère et la fille. L'idée n'est pas mauvaise, mais fais en sorte que ça se passe sous les yeux de l'intéressé, sinon tu vas semer la zizanie dans la famille !

— Bon, bon, mille excuses, je n'y avais pas pensé.

— C'est bien ce que je te reproche ! Et tâche de rester invisible !

— Promis, je ferais tout au nez et à la barbe de Monsieur Nickelle.

Justement, Jean-Luc est retourné dans le salon pour s'installer dans son fauteuil préféré et parcourir comme chaque soir le journal local. Il le feuillette religieusement, du début à la fin. Arrivé à la rubrique des petites annonces, les lettres se mettent à bouger sur le journal et à changer de place comme des mouches affolées, pour former le texte suivant :

— Echange palais où l'on pleure contre chaumière où l'on rit*, suivi de leur numéro de téléphone !

Jean-Luc se frotte les yeux, nettoie ses lunettes, et reprend sa lecture où il l'a laissée. Mais il ne voit plus la même phrase, elle a disparu pour laisser place aux habituelles annonces. Par contre, elle lui trotte dans la tête comme un refrain dont il ne peut se débarrasser. En voilà une idée, pense-t-il, je n'échange rien du tout, et puis je n'habite pas un palais …

La soirée se poursuit normalement, Jean-Luc ne tenant pas à partager cet incident avec son épouse et encore moins avec leur fille. Le lendemain, absorbé par sa lecture rituelle, le même phénomène se reproduit à la rubrique des mariages, naissances et décès. Les lettres commencent à danser dans tous les sens, et composent le message suivant :

Monsieur Nickelle, soyez prévoyant, choisissez dès maintenant l'épitaphe que vous souhaiteriez avoir sur votre tombe, après votre décès. Préférez-vous « Ci-gît un homme dont la maison était impeccable » ou « Ici repose un bon vivant que tout le monde aimait » ?

L'allusion est claire et Jean-Luc en prend ombrage. Il jette son journal sur la table basse, et, regardant le mur devant lui, aperçoit son aquarelle préférée s'incliner du côté gauche. Il essuie à nouveau ses lunettes, et se retourne vers la bibliothèque. A sa grande surprise, ses statuettes se mettent à changer d'étagère. Il pense qu'il a forcé sur l'apéritif, jette un œil sur sa femme qui, penchée sur son ouvrage, semble n'avoir rien remarqué, et se sert au hasard dans le porte-revues, histoire de penser à autre chose. Il tombe sur un magazine féminin. Tant pis ! Il en tourne les pages sans rien lire jusqu'à ce qu'il tombe sur un test appelé « quel genre d'homme êtes-vous ? ». Lui, qui habituellement trouve stupide ce type de tests, se saisit d'un crayon et d'une gomme, et commence à répondre aux questions. Il se considère, à juste titre, comme attentionné, généreux, propre, travailleur et rigoureux. Mais, à la question : « êtes-vous casanier ? », quand Jean-Luc coche « un peu » parmi les différentes réponses possibles, Greluche n'est pas d'accord, et se charge de rectifier ce choix. La petite croix se déplace toute seule dans la case « beaucoup ». Il la gomme et la repositionne comme avant. Peine perdue, son trait de crayon s'efface et se positionne plus bas. Il décide de ne pas s'énerver, respire un bon coup, et passe aux questions suivantes. Plus loin, il est demandé « Etes-vous organisé, méticuleux ou tatillon ? » Il répond « organisé », et pouf, sa réponse se modifie immédiatement pour devenir tatillon. Comme c'est la dernière question du test, il laisse tomber pour commencer à compter les points. Et le verdict tombe : si son total le place dans la catégorie des bons maris et des bons pères, il est aussi considéré comme pas « cool » du tout et manquant totalement de fantaisie. Il ferme le magazine, et se met à penser à sa famille. Serait-il un rabat-joie ? Empêche-t-il sa fille de s'amuser comme il se doit à son âge ? Il a peur d'en convenir. Il est vrai qu'il n'a fait que perpétuer ce qu'on lui a inculqué.

Fils unique également, mais de parents plutôt âgés, il avait grandi dans une maison où il devait se faire le plus discret possible pour ne pas les déranger. Lui qui avait détesté cette ambiance feutrée, réalise qu'il n'a pas su se débarrasser de toutes ces habitudes comme il aurait aimé. Sa fameuse collection de sculptures par exemple, était-ce réellement important de les poser d'une façon si précise que même Solange se plaignait d'avoir à les épousseter ? Il regarde sa femme qui brode tranquillement à ses côtés et lui demande :

— Dis-moi chérie, me trouves-tu tatillon ?

Solange, toujours franche, saute sur l'occasion pour exprimer la frustration de leur fille :

Un peu oui, on ne peut pas dire que tu sois brouillon ! Mais je ne m'en plains pas, il y a tellement de maris désordonnés ! C'est plutôt une qualité de tout bien ranger, mais chez toi c'est parfois excessif. Un peu de désinvolture profiterait sûrement à Vanessa.

— Ah ! s'exclame Jean-Luc. Parce qu'elle t'a dit quelque chose peut-être ?

— Et bien en fait, elle m'a dit l'autre jour qu'elle n'était pas à l'aise pour inviter ses amis chez nous.

— Ah ! répète-t-il à nouveau. Pas terrible ça ! Et que crois-tu que je devrais faire alors ?

— Peut-être que tu devrais te détendre un peu et ne pas te préoccuper autant de l'aspect de ton intérieur. Après tout, ce n'est pas un musée ici.

— Tu as raison. Je ne m'en rendais pas compte, mais ce n'est sûrement pas drôle pour une petite fille.

— Ta collection de sculptures par exemple, y tiens-tu pour leur valeur, pour le plaisir de les voir, ou la fierté de les montrer ?

— Oh non ! C'est surtout pour moi, parce que j'aime les regarder !

— Dans ce cas, ce serait peut-être plus simple de changer le salon et de mettre ce qu'il y a de plus fragile dans ton bureau ou dans notre chambre.

Il acquiesce après une brève hésitation. Solange sourit, elle pense que c'est un bon début.

— J'ai une autre idée, ajoute-t-elle. Puisque c'est bientôt Pâques, nous pourrions réarranger la mezzanine et en faire un coin spécialement pour les enfants, cacher des œufs dans le jardin, et faire en sorte que notre fille puisse inviter plein de monde. Qu'en penses-tu ?

— Ça me plaît. Si je comprends bien, il est temps de créer de l'animation dans cette maison.

Quand elle apprit ce qui se préparait, Vanessa était surexcitée. Elle s'appliqua à envoyer des petits cartons d'invitations à tous ses amis, leur précisant qu'il y aurait des activités à l'extérieur comme à l'intérieur. Puis le matin du jour J, ils décorèrent la pièce palière de cloches, cocottes et œufs en papiers de toutes les couleurs, préparèrent un buffet avec plein de friandises, et prirent beaucoup de plaisir à participer tous les trois aux préparatifs.

Les enfants vinrent nombreux et se donnèrent à cœur joie à la chasse aux trésors. Pendant que Solange et Jean-Luc s'étaient réfugiés dans le bureau pour regarder un film, ils jouèrent à un tas de jeux, se couvrirent de confettis, serpentins et autres cotillons, et purent même écouter de la musique de leur goût. C'était enfin la fête à la maison !

* *tiré du proverbe chinois :*
Chaumière où l'on rit vaut mieux que palais où l'on pleure

De fil en aiguille

Nous sommes en octobre, et Marina a mal démarré sa sixième. Non pas au niveau scolaire à proprement parler, car Marina est en tête de sa classe comme d'habitude, mais au niveau moral. Premier coup dur, sa sœur aînée, Ileana, a quitté la maison avant l'été pour emménager avec son copain. Elle vient de trouver un emploi en tant qu'Informaticienne dans une grande société, et pour la première fois, n'a même pas passé les grandes vacances en famille. Puis ce fut au tour de Tatiana qui, ayant réussi son Baccalauréat haut la main, a commencé des études de Commerce International à l'Université, comme leur père. Elle aussi serait bien partie de la maison, mais comme elle est ambitieuse, elle a choisi de rester pour ses études. Et les horaires fantasques de l'Université lui donnent une nouvelle liberté que ses parents ne peuvent plus contrôler. Pourtant, la vie n'est pas bien drôle chez les Sparsiatila. Dimitri rêvait d'avoir des fils, mais n'a eu que des filles. Ce qui ne l'a pas empêché de les élever comme des petits soldats. Il imposa très tôt une discipline sévère, et dès que les plus grandes ont été en âge de s'intéresser aux garçons, il est devenu carrément tyrannique. Il craignait sans cesse qu'il ne leur arrive quelque chose. C'était une telle obsession qu'il n'a rien trouvé de mieux que de leur interdire toute sortie quelle qu'elle soit. A présent qu'elles étaient majeures, ce régime ne s'appliquait plus qu'à Marina, bien qu'elle soit beaucoup plus jeune. Leur mère, qui n'avait jamais pris leur défense, se conforma comme chaque fois aux décisions de son mari.

Marina souffre de cette situation, elle voudrait grandir plus vite et s'en aller aussi. Oh ! Bien sûr, elle s'entend très bien avec Tatiana qui lui confie volontiers ses petits secrets, mais maintenant qu'elle est accaparée par ses études, elle n'a plus de temps à lui consacrer.

Là-dessus s'est s'ajouté le passage de l'école au collège qui n'a rien arrangé, car aucune de ses petites copines ne s'est retrouvée dans le même établissement. Il y a bien cette Sylvie qu'elle envie, car elle non seulement elle est aussi douée qu'elle, mais en plus elle est jolie, seulement Marina ne sait pas trop comment l'aborder. Un jour, alors que leur dernier cours vient d'être annulé, c'est Sylvie qui fait le premier pas et s'approche de Marina :

— Tu veux venir chez moi pour qu'on fasse ensemble le devoir de mathématiques ?

Marina prend un air embarrassé.

— C'est que, j'aimerais bien, mais je ne peux pas.

— Pourquoi ?

— Mon père ne serait pas d'accord.

— Il ne veut pas que tu révises avec une copine ?

— Non, c'est pas ça, il ne veut pas que j'aille chez qui que ce soit.

— Bah ! Dis donc, il est drôlement sévère ton père !

— Par contre, tu peux venir chez moi si ça te dit.

— Ça m'est égal, si ça t'arrange comme ça. Donne-moi deux minutes pour prévenir ma mère.

Après un rapide coup de fil, les voilà en route pour l'appartement de Marina. En chemin, Sylvie lui pose un tas de questions.

— Ils font quoi tes parents ?

— Ma mère est surveillante dans une maternité, et mon père est dans les affaires.

— C'est un peu vague ça. Dans quelles affaires ?

— Je ne sais pas.

— Tu ne sais pas ce que fait ton père ? demande Sylvie interloquée.

Marina voit là une occasion idéale pour se rendre intéressante. Sans savoir où cela va la mener, elle commence à inventer une histoire :

— C'est interdit d'en parler à la maison. On n'a pas le droit de lui poser des questions. Je veux bien t'en dire plus, mais tu dois promettre de garder le secret.

— Je te le jure, répond Sylvie dont la curiosité est immédiatement piquée.

— Je crois que mon père est un agent secret, ou alors c'est qu'il travaille pour la Mafia.

— Mais tu es folle, pourquoi tu dis ça ?

— Je ne suis sûre de rien, mais d'abord il voyage tout le temps, on n'a pas le droit de savoir ni où ni pourquoi, et figure-toi qu'il parle six langues.

— Six langues ! s'exclame Sylvie admirative.

— Il n'y a pas que ça, dès fois il rentre au milieu de la nuit, puis on dirait qu'il n'a pas de travail pendant des semaines et tout à coup il reçoit des coups de fil bizarres et il disparaît pendant un mois.

— Qu'est-ce que tu appelles des coups de fil bizarres ?

— Bah ! La dernière fois, je l'ai entendu qui disait – s'il fait ça, c'est un homme mort – et puis aussi – si ça tourne mal, on fera comme avec 370.

— T'as raison, c'est pas des conversations banales ça. Mais ta mère, elle en pense quoi de tout ça ?

— Justement, on se pose la question avec mes sœurs, on s'est toujours demandé si elle savait ou si elle avait peur de demander. Ils ne parlent jamais de boulot ensemble, en tout cas pas devant nous. Alors je ne sais pas.

— Dis-moi, tu es sûre que je peux venir chez toi ? demande Sylvie qui n'a plus trop envie de rencontrer Monsieur Sparsiatila.

— Oh ! Oui, tant que c'est des copines qui viennent à la maison, il n'y a pas de problème. Tu lui diras juste bonjour s'il est là, et on filera dans ma chambre.

Effectivement, après une rapide présentation au père de Marina, grand, impressionnant et glacial comme toujours, elles partent toutes les deux travailler dans sa chambre. A l'heure du goûter, quand elles se retrouvent dans la cuisine puis dans le salon avec chacune un bol de chocolat et des biscuits, Sylvie ne peut s'empêcher de remarquer que l'appartement est cossu. La cuisine est immense, le salon drôlement bien meublé, avec un canapé d'angle en cuir, des tapis d'orient, et un tas de décorations exotiques sur les murs.

— Dis donc, c'est dans ses voyages qu'il a trouvé ces objets ton père ? demande-t-elle à Marina.

— Parfois il en ramène, parfois c'est des cadeaux. C'est comme le reste, on ne sait pas grand-chose, répond Marina pour entretenir le mystère.

— Et bien il doit en connaître du monde !

— Oh ! Sûrement ! Le soir le téléphone n'arrête jamais de sonner. Mais tu vois, ça aussi c'est bizarre, on ne reçoit pratiquement jamais personne. Il n'y a que deux couples d'amis qui viennent ici, toujours les mêmes.

Le reste de l'après-midi, elles le passent à se faire des confidences, puis Sylvie doit partir, et Marina se retrouve seule à nouveau. Mais elle n'est pas mécontente, on dirait que le poisson a mordu à l'hameçon, qu'elle a pris Sylvie dans le filet de ses mensonges.

En effet, la brave fille un peu naïve gobe tout ce que lui raconte Marina. Il faut dire qu'elle n'a aucune raison de penser que ses récits ne sont que des salades. Alors c'est une amitié un peu boiteuse qui s'installe, faite de crainte et d'admiration de la part de Sylvie, de besoin d'affection et d'attention de la part de Marina.

L'année scolaire s'écoule, Marina étoffe de plus en plus son histoire comme une araignée tisse sa toile, et Sylvie est toujours avide d'en savoir davantage. Le problème évidemment, quand on commence à raconter des mensonges qui sont supposés se dérouler au quotidien, c'est de maintenir le rythme. Il faut sans cesse inventer quelque chose de nouveau, et surtout ne pas se trahir bien sûr. Mais Marina est intelligente et observatrice. Elle sait glaner l'anecdote croustillante dans les rares conversations qu'elle surprend entre ses parents, et trouve une inspiration infinie dans les romans qu'elle dévore, seul refuge à sa solitude.

Toutefois, à la fin du deuxième trimestre, elle commence à se lasser de toutes ses inventions. Elle a un peu honte aussi, elle se rend bien compte qu'elle a abusé de la crédulité de son amie. Mais elle ne pensait pas que ça irait aussi loin, et ne sait plus comment faire marche arrière pour se sortir de ce pétrin. Alors Malypense, qui voletait dans les environs et n'ignorait rien des méfaits de Marina, profite de son sommeil pour lui glisser dans l'oreille qu'il est temps de tout avouer, qu'elle doit prendre son courage à deux mains pour se montrer telle qu'elle est. Puis elle manipule le téléphone portable de Marina, avec une idée derrière la tête.

Le lendemain, en plein cours d'histoire et d'interrogation orale, alors que Marina a bien révisé sa leçon et lève le doigt pour répondre, on entend tout à coup la Marseillaise version reggae, à plein volume. Le temps qu'elle réalise que c'est son mobile et qu'elle glisse la main discrètement dans la poche de son manteau pour l'arrêter, tout le monde rigole et la prof est furieuse :

— Qui n'a pas respecté les consignes ? demande-t-elle en parcourant l'ensemble de sa classe

Silence dans la salle.

— Pour la deuxième fois, qui est responsable de ce chahut ?

Personne ne répond.

— Troisième et dernière fois, si je n'ai pas un nom dans la minute qui suit, ce sera zéro pour tout le monde !

Marina est acculée. Si elle persiste dans son silence, elle se mettra toute la classe à dos. Elle se lève, et d'une voix mal assurée dit :

— C'est moi Madame, c'était mon téléphone.

— Vous ? s'exclame la prof, sidérée de voir sa meilleure élève se dévergonder. Et qu'est-ce qui vous a pris Mademoiselle Sparsiatila ?

— Je ne sais pas, je suis désolée, c'était un accident.

Comme c'est la première fois que Marina fait une bêtise et qu'elle s'est dénoncée, Madame Désarchives décide de ne pas être trop sévère mais lui colle quand même un devoir supplémentaire à faire en trois jours. Pendant ce temps-là, un murmure parcourt la classe. Les élèves, soulagés de ne pas être punis, ne peuvent s'empêcher d'admirer le courage de Marina et de lui en être reconnaissante.

Quand la cloche sonne, plusieurs se précipitent vers elle pour le lui dire, et Marina est toute surprise de cette réaction unanime et sympathique. Forte de sa première expérience de franchise, elle décide qu'il est temps de dire la vérité à Sylvie. Le message de Malypense est bien passé.

Elle va donc la voir après les cours, et se hasarde maladroitement :

— Sylvie, j'ai quelque chose à te dire, tu as deux minutes ?

— Pas vraiment, je dois vite rentrer, ma sœur m'emmène au cinéma. C'est important ?

— Euh, non, enfin oui, plutôt !

— Ça peut attendre demain ? On a une heure de perm entre 10 et 11.

— D'accord, bon ciné alors ! répond Marina un peu décontenancée.

Le lendemain, son courage est ébranlé. C'est qu'elle a réfléchit toute la soirée à ce qu'elle s'apprête à faire, et elle craint le pire. A juste titre. Après une explication désastreuse et totalement embrouillée, où Marina oscille entre des aveux et des excuses, Sylvie vient de comprendre qu'elle s'est faite flouer pendant des mois, que tout ce que lui a raconté son amie n'était que divagations et affabulations, et elle n'en revient pas. A la fois vexée d'avoir cru à l'incroyable et furieuse d'avoir été manipulée, Sylvie se fâche pour de bon :

— Je ne veux plus jamais que tu m'adresses la parole, tu m'entends ?

— Mais Sylvie, si je te dis la vérité aujourd'hui, c'est pour te montrer que je ne veux plus te mentir justement !

— C'est trop tard. Comment veux-tu que je te fasse confiance à nouveau ? Tu te rends compte un peu de tout ce que tu m'as raconté ? Et il n'y avait rien de vrai dans tout ça ? Dire que je me faisais du souci pour toi, en pensant que ta famille était peut-être en danger ! Et tout ça pour rien ? Va-t'en, tu n'es plus mon amie.

Marina sent qu'elle l'a perdue pour de bon. Et elle ne peut même pas lui en vouloir, car elle aurait réagi de la même manière. Alors elle effectue le trajet du retour en pleurant, et une fois rentrée à la maison se précipite sur son lit, toute habillée. Après avoir sangloté tout ce qu'elle pouvait, elle entend une petite voix qui lui susurre à l'oreille. C'est Malypense qui tâche de la réconforter tout en restant invisible.

— C'était la seule chose à faire Marina, tu as été bien brave. Aujourd'hui tu as perdu gros, mais tu verras qu'à l'avenir, la franchise et l'honnêteté sont toujours récompensées.

Quand elle se réveilla le lendemain, Marina était plein de bonnes résolutions. Elle se fit la promesse de ne jamais recommencer ce qu'elle avait fait, et elle s'y tint. Certes, Sylvie ne revint pas sur sa décision, et il fallut encore de longues semaines pour que certaines camarades de classe commencent à s'intéresser à Marina. Mais, grandie par cette expérience douloureuse, elle ne se sentait enfin plus coupable d'être une affreuse menteuse, et n'avait plus à trouver sans cesse un nouvel épisode à son roman-feuilleton.

Les Merlins du logis

Florian est un mari chanceux, comme beaucoup d'hommes d'ailleurs même s'ils ne s'en vantent pas, car il a chez lui un panier magique. Vous savez, ce fameux panier dans lequel on jette ses vêtements sales, qu'on retrouve quelques jours plus tard lavés, repassés et sentant bon, pliés dans ses tiroirs ou accrochés dans sa penderie. Comme souvent derrière les miracles domestiques, il y a une maman qui, avec ou sans travail, s'assure que sa maison soit nette, le frigidaire garni, les repas assurés, et le linge toujours propre.

Les enfants ne sont pas dupes et savent presque tous qu'il n'y a rien de magique dans tout ceci, mais les Papas ne se posent pas souvent la question. Florian pas plus qu'un autre, lui qui a un très bon poste dans une grande banque, et une femme merveilleuse, Rita. Celle-ci, malgré un travail qu'elle n'aime guère dans un centre de formation, a perpétué cette habitude si féminine de tout gérer, même après la naissance de leurs deux garçons, Samy et Gaby, et jusqu'à ce jour, alors qu'ils ont respectivement onze et huit ans.

Or, ce vendredi soir, alors qu'ils étaient à table et s'apprêtaient à attaquer le dessert, Rita déclare qu'elle a quelque chose d'important à dire à ses enfants. Après avoir consulté son mari du regard, elle commence :

— J'ai trouvé un nouveau travail au siège d'une Agence

d'Intérim, et je vais m'occuper de former le personnel de toutes les agences en Europe, ce qui veut dire que je vais beaucoup voyager. J'en ai parlé avec votre Papa qui me soutient totalement, et je commence lundi pour un premier voyage d'un mois en Italie. Je ne serais donc pas là pour m'occuper de vous après l'école ni vous voir tous les soirs.

— Ah bon ? Et comment on va faire alors ? dit Samy.

— C'est votre Papa qui va me remplacer et faire tout ce qu'il peut, avec votre aide bien sûr.

— On ne va pas te voir pendant un mois ? s'inquiète Gaby. Il vient de comprendre que son absence sera longue et éclate en sanglots.

— Mais c'est pas juste ça, pourquoi tu veux nous quitter, hein ?

— Je ne veux pas vous quitter mon chéri, mais j'ai l'occasion de faire un nouveau travail qui m'intéresse beaucoup et j'en suis très contente.

— Je pourrais venir avec toi ?

— Non Gaby, ce n'est pas possible, tu dois continuer à aller à l'école, pour que toi aussi, un jour, tu puisses faire un métier que tu aimes. Parfois les parents ont des choix à faire qui ne font plaisir à personne sur le moment, mais qui sont bénéfiques plus tard. Si vous avez une maman plus heureuse, vous en profiterez mieux, et votre père aussi.

— T'inquiètes pas maman ! Avec papa, on va se débrouiller très bien, dit Samy, jouant les gros durs alors qu'au fond, il n'en mène pas large. N'est-ce pas P'pa ?

— Bien sur mon garçon, à nous trois, on va faire un malheur.

Le samedi, Rita et Florian emmenèrent les garçons faire du vélo et le dimanche matin à la piscine. Mais dans l'après-midi, comme Maman commençait à préparer ses bagages, il fallut consoler Gaby à nouveau. Puis ce fut l'heure du départ, et toute la famille se rendit à l'aéroport.

Au retour, la première difficulté pour Florian fut de trouver un moyen de les faire sourire à nouveau. Pour éviter de se retrouver dans une maison un peu plus vide, et aussi de faire la cuisine, Papa emmena ses fils au restaurant chinois. Heureusement, le réflexe facile avait l'air de marcher, Samy et Gaby jouèrent avec leurs baguettes et mangèrent de bon appétit. Comme il était déjà tard, Florian les coucha sitôt rentrés.

La première semaine se passa à peu près bien, car Rita avait fait le plein des courses. Sauf qu'aux heures des repas, Florian n'était pas très fier. Sorti des steaks hachés, du jambon, des omelettes, des pâtes et des patates, il ne connaissait rien d'autre. Alors ils eurent droit aux omelettes au fromage, aux omelettes au jambon, au jambon pâtes, et à tous les surgelés stockés, pizza, steaks, épinards et haricots verts (Ouf ! Tout était expliqué sur les boîtes).

Par contre, Florian aimait beaucoup aider ses fils avec leurs devoirs le soir, content de réaliser qu'il n'était pas en dehors du coup comme il le craignait.

Mais quand vint le week-end, les soucis commencèrent. Il n'y avait plus de panier magique ! Qu'à cela ne tienne, se dit Florian. Il prit le panier plein, ouvrit le lave-linge, et commença à tout y mettre en vrac. Gaby qui l'avait suivi comme il avait l'habitude de le faire avec sa maman, lui dit, tout fier de son savoir :

— C'est pas comme ça P'pa ! Il faut séparer le blanc et les couleurs.

— Bien sûr, bien sûr, où avais-je la tête ! Répondit Florian qui, sans ignorer qu'il fallait trier le linge, n'y avait pas pensé.

— Bon, je vais commencer par le blanc alors.

— Alors pour ça, tu dois mettre le gros bouton sur 60.

— Dis donc fiston, si tu sais si bien faire le linge, pourquoi est-ce que tu ne finirais pas à ma place ?

Gaby, flatté qu'on lui fasse confiance, acquiesça avec empressement.

— Parfait ! dit le père. Puis il alla voir Samy et lui demanda de passer l'aspirateur, lui attribuant cette tâche pour la durée de l'absence de Rita.

— OK P'pa ! répondit Samy qui était toujours de bonne volonté.

Si Florian n'avait pas l'habitude de faire grand-chose à la maison, en tout cas il savait déléguer ! Mais après ces six jours, ils commençaient tous à trouver le temps long, et les menus peu variés. Aussi, tout en préparant sa deuxième charge de linge, Gaby, qui n'arrêtait pas de penser à sa maman et à la vie facile qu'ils avaient quand elle était là, se mit à murmurer :

— Agabatur, Ruob Manipot.

Escagasse arriva en vol plané et se posa comme une plume

sur la machine pour lui faire face.

— Rutabaga, Topinambour, mon sang ne fait qu'un tour, je vole à ton secours.

— Oh ! s'exclama Gaby. Chouette, ça marche, c'est formidable !

— Que veux-tu mon garçon ?

— Je voudrais que mon Papa soit comme ma Maman.

— Comment ça, qu'il soit physiquement comme elle ? dit la Sorcigentière pour le taquiner.

— Mais non, qu'il sache faire tout ce qu'elle sait faire !

— La liste est longue mon ami, il s'agirait d'être plus précis !

Gaby se gratte la tête, réfléchit, et commence à énumérer :

— Les courses, la cuisine, le linge, le repassage et le ménage.

— Hum ! Je vois que tu es très au courant des activités d'une maman dans son foyer. Comment veux-tu que je m'y prenne ? Il ne faudrait tout de même pas montrer à ton père l'étendue de son ignorance, tu ne crois pas ?

— Vous avez raison, ça pourrait le vexer.

Gaby réfléchit encore puis lui demande :

— Est-ce que les adultes peuvent vous voir comme je vous vois ?

— Non, en effet, nous sommes invisibles à leurs yeux.

— Et si vous le suiviez partout pendant plusieurs jours pour guider ses mouvements comme avec une marionnette, ce serait possible ça ?

— Je crois bien qu'oui. Tu veux donc juste que je lui donne le temps d'apprendre, et qu'il se débrouille tout seul après ?

— C'est ça, ce serait super !

— Marché conclu, répondit Escagasse.

Au moment d'aller faire les courses, Florian, qui ne savait pas qu'Escagasse s'était installée sur son crâne, se trouva bien ébouriffé. Il tenta, mais sans succès, de passer le peigne dans ses cheveux, bousculant la Sorcigentière au passage qui devait faire des bonds pour éviter les dents. C'est donc coiffé comme un épouvantail qu'il emmena ses fils au supermarché.

Et voilà un Papa de plus confronté au dilemme des marques innombrables. Aussi, le voilà tout étonné quand, tendant le bras pour saisir un paquet de céréales, celui-ci lui glisse des mains pour s'enfoncer dans le rayon. Il s'apprête à attraper la boîte suivante, mais pouf, la voilà qui disparaît également. Et tout à coup, il voit son caddie avancer tout seul de quelques centimètres, et un autre paquet de céréales se met à dépasser du rayonnage, s'incline et tombe tout seul dans le chariot. Il n'en croit pas ses yeux. Il prend la boîte et, s'apercevant qu'il s'agit d'une marque et d'un contenu différents, demande à Samy :

— C'est ça que vous prenez au petit déjeuner ?

— Oui P'pa, c'est ceux qu'on préfère.

— Ah ! Bien ! Bien ! trouve-t-il seulement à répondre car il ne savait pas mais n'était pas prêt à l'avouer.

Nouvel incident pour le lait. Florian hésite entre l'écrémé, le demi écrémé, et l'entier. Mais quand il cherche à prendre ce dernier, une force incontrôlable fait dévier son bras vers le bas des étagères, l'obligeant à s'accroupir, et ses doigts se collent sur une brique de lait de soja.

— Euh ! C'est bien du lait de soja que vous buvez n'est-ce pas ? demande-t-il encore aux enfants qui n'ont rien remarqué de ses difficultés.

— Oui P'pa, M'man dit que c'est meilleur pour la digestion.

— Elle a raison, dit-il alors qu'il ignorait jusqu'à l'existence du lait de soja.

Au rayon boucherie, le voici qui s'empare de morceaux auxquels il n'aurait jamais pensé tout seul, comme un vrai cordon bleu. Pour les fruits et légumes, la même chose. Florian a l'impression d'être téléguidé et de ne rien choisir du tout. Il est très perturbé par ces courses peu ordinaires, mais ne tient pas à faire part de son désarroi à ses enfants.

De retour à la maison, il range ses emplettes avec leur aide, et s'aperçoit qu'il est déjà l'heure de faire à manger. Alors là, il croit devenir fou. Les placards s'ouvrent tout seuls pour mettre en avant une casserole ou un ustensile plutôt qu'un autre, le frigidaire s'y met aussi, et le bouquet, c'est quand le livre de recettes tombe de son étagère sur le comptoir et s'ouvre à la page « Osso Bucco ». Il parcourt la recette des yeux et se rend compte qu'il a bien acheté, sans le vouloir, tous les ingrédients nécessaires. Il se met donc à la tâche, se disant qu'après tout ce n'était pas sorcier, et qu'il n'avait aucune raison de ne pas y arriver. Effectivement, le repas est un succès : les enfants se régalent et en redemandent.

Le lendemain, après avoir joué au football avec ses deux garçons, Florian se décide enfin à attaquer la pile de linge à repasser. Malheureusement, la collaboration officieuse entre

Escagasse et lui est désastreuse. A chaque fois qu'elle essaie de guider le fer comme il faut sur les manches de ses chemises, Florian se brûle méchamment ou crée un vilain pli qu'il a le plus grand mal à faire disparaître. Alors notre Sorcigentière décide de changer de tactique. Elle glisse dans le courrier du lundi une publicité pour un service de repassage local à un tarif raisonnable, avec enlèvement et livraison à domicile. Florian, qui d'ordinaire jette la publicité sans même la regarder, tombe dessus et sourit, ravi. La voilà la solution à mon problème, pense-t-il. Le premier essai s'avère si concluant qu'il décide de faire la surprise à sa femme en continuant cette méthode même après son retour.

Et c'est ainsi que, les jours passant, les produits du supermarché restent de plus en plus calmes sur les rayonnages car Florian sait faire ses emplettes pratiquement les yeux fermés ; les placards de la cuisine finissent par se tenir tranquilles, et c'est même lui qui choisit ses recettes tout seul, expérimentant chaque fois des nouveautés. Ils sont de mieux en mieux organisés, et la maison recommence à tourner rond, à quelques détails près.

Quand ils furent à quelques jours du retour de Rita, nos trois hommes se mirent à briquer la maison de fond en comble. Et pour le soir de son arrivée, Florian prépare avec amour un navarin d'agneau. Ils avaient tous hâte de retrouver autant l'épouse, que la mère, et la fée du logis.
Après les embrassades et l'émotion des retrouvailles, Rita

leur fait le récit de son voyage. Elle est comme transformée, épanouie et plus sure d'elle. Puis, Samy et Gaby assaillent leur mère de leurs exploits, et l'entraîne dans toutes les pièces. Rita est émerveillée, et conquise par la décision du pressing.

Elle les regarde tous les trois et leur dit :

— Vous aviez raison, vous êtes une fine équipe et je n'en n'attendais pas moins de vous. Comme on dit, on ne change pas une équipe qui gagne ! Alors conservons cette nouvelle organisation, elle me convient à merveille !

Et devant les mines dépitées du père et de ses fils qui se rendent comptent qu'à si bien faire, ils s'étaient fait piéger, Rita éclate de rire !

Entre deux maux, il faut choisir le moindre

 Coralie est une enfant que rien ne distingue de millions d'autres enfants. Elle n'est ni plus ni moins heureuse qu'une autre, sa scolarité se passe sans échec ni réussite particulière, et son environnement familial est plutôt stable. Certes, on ne peut pas dire qu'à trois ans elle ait bien vécu l'arrivée de sa petite sœur, car elle a vu ses privilèges d'enfant unique fondre à vue d'œil. Mais elle avait rapidement profité des avantages de ne plus être seule.

Pourtant, un jour dans sa douzième année, elle commit une bêtise qui devait l'entraîner sur une fort mauvaise pente. Elle était au supermarché avec ses parents, et vagabondait dans les allées sans trop s'éloigner d'eux, quand elle tomba en admiration devant un rayon de perles pour faire des bijoux soi-même. Il y en avait de toutes les couleurs, de toutes les formes, de toutes les tailles, celles qui brillaient de mille feux, d'autres qui étaient décorées de motifs délicats. Elles étaient toutes si belles, que Coralie ressentit tout à coup un besoin urgent d'en avoir, comme si c'était vital. Elle jeta un coup d'œil à sa droite, puis à sa gauche, et se rendant compte que personne ne l'observait, elle se saisit d'un tube de gouttes de cristal multicolores, qui tenait dans le creux de sa main, et qu'elle s'empressa d'enfouir dans la poche de son pantalon. Oh ! Elle savait bien que ce qu'elle faisait était très mal, interdit et répréhensible, mais c'était plus fort qu'elle. Elle rejoignit ses parents comme si de rien n'était, et ne les quitta plus jusqu'au moment de passer en caisse. Là, son petit cœur se mit à battre très fort. Elle se dit qu'on allait remarquer la bosse dans sa poche et la fouiller, qu'une alarme allait se déclencher, que tout le monde saurait en quelques minutes qu'elle était une affreuse voleuse ! Pas du tout ! Elle passa par les portillons pour aider sa mère à remplir le caddie, sans que son visage trahisse son anxiété, et quitta le magasin, remontée à bloc par ce succès inespéré.

Dans la voiture, le soulagement de ne pas avoir été prise étant aussi fort que la peur qu'elle avait eue, elle devint complètement exubérante. Arrivée à l'appartement, une fois les cabas vidés et les provisions rangées, elle se précipita dans sa chambre pour admirer ce qu'elle prenait presque pour des joyaux. Le plus bête, c'est qu'elle ne pourrait pas s'en servir car ses parents ne manqueraient pas de lui demander où elle les avait eues. Alors elle ouvrit son coffre à jeux et les cacha tout au fond.

Pour n'avoir eu aucune conséquence, cet incident qui aurait dû rester unique, se transforma en vilaine habitude. Car elle ne se contenta pas de cette victoire. Trouvant le danger associé à ces méfaits tout à fait excitant, elle recommença quelques mois plus tard au rayon du maquillage. Elle avait toujours trouvé très attrayant l'étalage des crayons, mascaras, fards à joue et à paupières, et tous ces objets si féminins. Elle s'empara d'un étui de rouge à lèvres noir et or qu'elle trouvait follement chic et, faisant mine de relacer son soulier, le glissa dans sa chaussette, sous son jean. Et de nouveau, personne ne s'aperçut de rien.

Quand elle atteint ses quatorze ans, Coralie était devenue kleptomane sans même savoir que c'était une maladie. Comme elle effectuait seule et à pied le trajet pour son établissement scolaire et qu'il y avait un Monoprix sur son chemin, elle ne manquait pas de s'y arrêter chaque fois qu'elle finissait de bonne heure, subtilisant plusieurs choses à la fois car son audace s'était accrue. Entre les bijoux de pacotille, le maquillage et autres babioles, le montant de ses larcins n'était plus négligeable du tout, et son coffre avait tout de la malle aux trésors.

Alors arriva ce qui lui pendait au nez. Après avoir fait un tour du magasin et rempli ses poches, elle emprunta l'allée de la sortie sans achat, l'air innocent comme toujours, quand un monsieur la saisit par le bras très fermement.

— Veuillez me suivre Mademoiselle.

— Mais vous me faites mal ! Vous suivre où, et qui êtes-vous d'abord ? demanda Coralie

— Monsieur Jenlise, inspecteur du Monoprix. Nos caméras vous ont filmé en train de dérober différents articles, et vous venez de franchir la sortie sans être passée par les caisses. Alors vous me suivez dans le bureau du directeur ou vous préférez faire face à un scandale devant tout le monde ?

Coralie devint rouge écarlate, et son regard d'ordinaire franc et direct, se dirigea minablement vers le sol. Elle le suivit sans plus broncher. Arrivés dans une grande pièce pleine d'écrans au premier étage, l'inspecteur s'installa derrière le bureau, et Coralie, les jambes toutes tremblantes, s'affaissa sur la chaise qui lui faisait face.

— Je ne vous ai pas invitée à vous asseoir, nous ne sommes pas là pour prendre le thé que je sache ! dit-il de façon volontairement brutale pour l'intimider davantage.

Elle se remit debout péniblement tandis qu'il lui tendit un formulaire à remplir.

— Inscrivez vos nom, prénom, et adresse. Puis retirez votre veste et vos chaussures.

Coralie s'exécuta maladroitement. Elle aurait voulu être une petite souris pour filer d'ici sans être vue. Cet affreux bonhomme lui faisait terriblement peur.

Quand elle fut prête, il fit le tour du bureau pour la fouiller au corps, un peu trop longuement d'ailleurs, mais la jeune-fille ne se trouvait pas en position de dire quoi que ce soit. Comme quoi, s'accorder une faiblesse, c'est se rendre vulnérable, et permettre à des personnes malveillantes d'abuser de la situation.

— Maintenant videz vos poches sur la table pour que nous fassions l'inventaire.

Il y avait un foulard indien, 2 paires de boucles d'oreilles, un tube de paillettes et une barrette en velours avec résille. Le tout avoisinait les 50 Euros.

Monsieur Jenlise émit un sifflement presque admiratif. Puis il se saisit du téléphone :

— Et bien le moment est venu de prévenir la police pour qu'elle se charge des sanctions.

— Oh ! Non Monsieur, je vous en supplie, n'appelez pas la police. C'est la première fois, et je jure que je ne recommencerais jamais.

L'inspecteur, sans en avoir la preuve, était dans le métier depuis assez longtemps pour savoir qu'avec autant de choses dans les poches, ça ne pouvait pas être son premier coup. Il devint tout à coup très familier :

— Tu mens, nous t'avions déjà repérée dans le magasin, mais cette fois tu dois payer pour ce que tu as pris.

— Je, je n'ai pas d'argent sur moi.

— Alors je vais appeler tes parents, pour qu'ils viennent te chercher et régler la facture.

Coralie perd totalement ses moyens. Elle imagine très bien la colère de son père et supplie encore une fois l'inspecteur d'être clément.

Sans répondre, il prend tout son temps pour compléter la fiche avec la date, la liste des objets trouvés sur elle, leur prix et le total, laissant un long silence angoissant s'installer. Puis il lui demande de signer. Coralie se met à pleurer. Elle est à bout de nerfs, de peur, et de honte. Alors faisant mine d'être grand seigneur, Monsieur Jenlise lui dit :

— Bon, ça ira pour cette fois-ci. Tu viens de signer la preuve de tes méfaits, si nous te reprenons encore une fois, je ne pourrais plus rien pour toi. Tu peux t'en aller.

Coralie remet ses chaussures et sa veste, bredouille des remerciements et des promesses d'avoir compris la leçon, et se dirige, chancelante, vers la sortie.

Inutile de dire qu'elle ne pipa mot de cette mésaventure à ses parents. Par contre, le lendemain matin, craignant que l'inspecteur ne revienne sur sa décision, elle remplit son sac à dos de tous les objets qu'elle avait volés, et les jeta chemin faisant, dans différentes poubelles. La journée se passa normalement, sauf qu'elle avait du mal à se concentrer. Ce qu'elle avait pu avoir peur ! Elle ne risquait pas de recommencer !

Malheureusement, le surlendemain, quelle ne fut pas sa surprise de voir Monsieur Jenlise marcher sur le trottoir d'en face au moment où elle ouvrait la porte de son immeuble. Elle n'eut pas le temps de prier pour qu'il ne la voie pas qu'il la hélait déjà !

— Ah, mais c'est Coralie, quelle coïncidence ! Tu vas à ton école j'imagine ?

— Oui Monsieur, dit-elle interloquée qu'il l'appelle par son prénom.

— Et bien on va pouvoir faire un bout de chemin ensemble si je comprends bien. Appelle-moi Gérard, je ne serais l'inspecteur Jenlise que dans quinze minutes.

Coralie, une fois de plus intimidée, n'eut pas la force ou le courage de lui dire qu'elle préfèrerait marcher toute seule. C'était bien dommage, car ce qui était soi-disant une coïncidence devint une routine, et Coralie se fit escorter de la sorte pendant une semaine entière sans savoir comment se dépêtrer de cette situation. Un matin pourtant, elle avait réussi à lui dire qu'elle trouvait ça une mauvaise habitude, mais il avait ricané et d'un air mauvais lui avait dit :

— Tu préfères que je me serve du papier que tu as signé peut-être ? Il est toujours temps tu sais !

Elle était restée muette, réalisant qu'elle s'était laissé piéger. Durant le week-end, elle réfléchit longuement à la question, et décida d'en parler dès le lundi à Rosine, sa meilleure amie. Celle-ci, après avoir entendu toute l'histoire, était scandalisée. Malypense, qui surveillait de près ces récents évènements car elle savait que Coralie courait un grave danger, souffla à Rosine, sans qu'elle sans rende compte, ce qu'il fallait dire pour secouer un peu son amie :

— Est-ce que tu te rends bien compte de ce qui t'arrive ? s'exclama-t-elle. Tu ne vas pas me faire croire qu'il te colle tous les jours simplement pour te surveiller ! Cet homme-là, c'est sûr, il a des mauvaises pensées derrière la tête. Moi, je serais toi, j'irais tout raconter à mes parents.

— Mais tu n'y penses pas, leur dire que j'ai volé, que j'ai menti, que j'ai caché tout ça pendant des années, et puis que je me suis fait prendre, et qu'il y a peut-être un malade qui va profiter de la situation ? Tu crois qu'ils vont me féliciter ?

Rosine, lui répondit d'un ton ferme et convaincu :

— Coralie, écoute-moi bien. Qu'est-ce qu'il vaut mieux, te faire super disputer par tes parents et avoir une méga punition ou risquer de te faire enlever par un dingue ?

— Oh ! Alors là tu exagères, lui répond son amie. Tu vas pas nous en faire tout un film quand même.

— Mais qu'est-ce que tu crois, ça commence toujours comme ça ! Tu as bien entendu à la Télé, presque tous les enlèvements sont faits par des personnes proches, ou de l'entourage.

— Ah ! Bah c'est malin ! Je me confie à toi parce que j'ai peur, et tu me fiches la trouille encore plus.

— Coralie, je suis sérieuse, si tu n'en parles pas à tes parents ce soir, je dirais aux miens de les appeler pour leur raconter. Coralie promet d'obtempérer. Samedi matin, au cours du petit-déjeuner familial, sous l'influence de Malypense qui surveille la scène, elle s'effondre en larmes et avoue tout ce qui s'est passé, en omettant toutefois de remonter au premier vol. Ses parents sont atterrés, consternés, mais plus que tout, ils réalisent que leur fille a peut-être échappé de justesse à quelque chose de bien plus grave. Aussi, après l'avoir sermonnée, ils jugent qu'elle a déjà été assez punie par toutes ses frayeurs sans qu'ils aient besoin d'en rajouter. Et pendant que sa femme téléphone au Monoprix pour prendre rendez-vous avec le Directeur, le père de Coralie, lui explique calmement que le chantage est une chose épouvantable, et qu'il ne faut jamais donner à qui que ce soit l'occasion d'exercer sur soi ce genre de pression. Son air grave l'impressionna beaucoup, et elle comprit qu'elle n'avait pas mesuré l'ampleur de ce qui aurait pu lui arriver. Le Lundi soir, ils allèrent tous les trois au Monoprix pour dénoncer les manigances de l'inspecteur perfide à son employeur, qui leur confia qu'il avait déjà eu des plaintes à ce sujet mais pas de preuves. Toutefois, la goutte d'eau ayant fait déborder le vase, M. Jenlise se fit licencier dans la semaine, et l'on n'entendit plus parler de lui !

La politesse des Rois

En ce qui concerne la manière de gérer son temps, il y a en gros deux catégories de personnes. Celles qui sont systématiquement en retard, et celles qui sont à l'heure, voire même en avance. Ludovic a des parents qui appartiennent aux deux catégories : Kurt, son père, n'arrive jamais à l'heure nulle part, bien qu'il soit sans cesse pressé, et Sabina, sa mère, est d'une ponctualité exemplaire. On reconnaît ces deux comportements dès le matin. Kurt met son réveil à sonner 30 minutes avant son départ au travail, ce qui l'oblige à se dépêcher pour se raser, se laver, s'habiller, et se coiffer, tout en buvant une gorgée de café par-ci par-là car il n'y a guère de place pour un petit-déjeuner avec un tel programme. Puis il fonce au garage, démarre en trombe, et conduit comme un fou vers son bureau tout en s'énervant contre les autres conducteurs qui n'avancent pas assez vite à son goût. Et quand il arrive à son travail, il est déjà stressé avant d'avoir commencé quoi que ce soit. S'il a une réunion, il trouve toujours le moyen d'être le dernier à rejoindre les personnes convoquées. S'il doit chercher sa femme quelque part, il la fait attendre au mieux vingt minutes, au pire il n'y a pas de limite, ce qui ne manque pas d'irriter son épouse, et se termine toujours par une dispute. Quand ils vont au spectacle, c'est la course et ils s'installent tout essoufflés ; au

concert, la même chose, quant au théâtre, il est déjà arrivé qu'ils ratent la première partie car là, au moins, on ne laisse pas les retardataires perturber les comédiens ni les spectateurs. Quand on arrive en retard, on doit attendre jusqu'à l'entracte pour pouvoir entrer. Pourtant curieusement, quand il s'agissait d'aller au cinéma, une vraie passion chez Kurt, il arrivait à l'heure, car il avait toujours peur de rater le début et de ne pas pouvoir comprendre la suite. Comme quoi, il en était capable quand ça l'arrangeait.

Sabina est tout l'inverse. Elle se donne une heure le matin pour prendre son temps, apprécier de manger des tartines et de boire quelque chose avec son fils avant de l'accompagner à l'école, tout en s'assurant de ne jamais le faire arriver en retard. Puis elle se rend à son bureau en transport en commun, pour éviter les accidents et les bouchons. Qu'elle aille chez le dentiste ou le coiffeur, elle est toujours à l'heure car elle est prévoyante et se donne chaque fois une marge d'erreur. Elle a tellement horreur d'attendre, qu'elle évite tout simplement de faire subir ça aux autres, partant du principe que respecter les gens, c'est aussi respecter leur agenda.

Si tout le monde était comme elle, il y aurait par exemple moins de queue chez les médecins, qui prennent souvent du retard à cause de patients négligents, ou en fin de mois devant les guichets pour acheter un titre de transport mensuel. On peut imaginer que les conducteurs conduiraient moins vite en ajoutant mettons dix minutes à un trajet d'une demi-heure, et qu'il y aurait donc moins d'accidents, et moins de gens stressés. Il faut croire que c'est un défaut difficile à corriger puisqu'il y a toujours eu des bons, et des mauvais 'élèves' ; et le pire, c'est que ces derniers subissent les conséquences de leur comportement comme les autres, et trouvent en plus le moyen de s'en plaindre.

En tout cas, tant que sa maman s'occupe de l'emmener de-ci de-là, Ludovic n'a aucun souci à se faire. Non seulement il n'est jamais en retard à l'école, mais il est aussi à l'heure pour ses leçons de guitare et de judo. Cependant à neuf ans, il voit très bien la différence entre sa mère et son père. A tel point qu'un jour, Kurt s'étant chargé de l'emmener voir l'ophtalmologiste, à toute allure comme d'habitude, il ne put s'empêcher de lui dire :

— Papa, t'es vraiment pas zen comme Maman !

— Comment ça Ludo ? Tout va très bien !

— Mais non, tu regardes ta montre toutes les deux minutes, et moi j'ai l'impression qu'on vient de faire un marathon.

— Désolé mon garçon, je n'ai pas pu venir plus tôt, j'avais des choses à finir au travail.

Effectivement, Ludovic avait attendu son Papa un quart d'heure à l'école. Seulement comme ils n'étaient pas les seuls à être en retard, finalement ils ont quand même dû attendre leur tour dans la salle d'attente. N'empêche qu'il avait horreur de courir tout le temps comme ça.

Or ce soir est un grand soir, car Ludovic a participé à un

tournoi de judo interscolaire pour les juniors, et il a réussi à gagner tous les matchs jusqu'à la finale. Sabina s'était débrouillée pour assister à chacun d'eux, d'abord pour l'encourager, puis pour le féliciter, mais Kurt les avait tous ratés, causant beaucoup de peine à son petit garçon. Il avait donc promis, juré, craché d'être là pour la finale. Ludo était en train de se mettre en tenue dans les vestiaires, pendant que sa mère attendait dans les gradins au premier rang. Ça commençait mal, Kurt n'était pas au rendez-vous devant le gymnase. Mais bon, il n'était pas encore en retard puisque le match n'avait pas commencé. Pourtant, elle avait comme un pressentiment, un nœud dans l'estomac qu'elle connaissait bien.

Une fois tous les participants installés, le professeur fit son entrée avec Ludovic et son opposant, Will. Sabina regarda sa montre, puis derrière elle, mais pas de mari en vue. Les deux jeunes se saluèrent respectueusement, et le combat commença. Ludovic était très doué. Il glissait comme un poisson entre les bras ou les jambes de son adversaire, et ses parades étaient très rapides. Pourtant, Will étant plus lourd et plus musclé, Ludo fit face à de sérieuses difficultés, ce qui rendait le duel encore plus captivant. Mais il finit par l'emporter, avec une prise adroite que Will n'eut pas l'agilité de contrecarrer. Sabina était en proie à des sentiments mélangés. Pendant qu'elle applaudissait très fort, enchantée pour son fils et partageant le même enthousiasme que les autres adultes, elle était furieuse contre Kurt. Quand tout à coup, celui-ci surgit alors que Ludovic était parti se changer.

Elle lui passa un savon qui le rendit tout penaud. Lui aussi était déçu d'avoir raté la finale, mais ce n'était rien en comparaison de son fils. A la sortie, Kurt voulut s'approcher de lui pour le féliciter, mais Ludo le repoussa brutalement.

— C'est pas juste. Tu avais promis ! Je ne te croirais plus jamais.

— Ludo, je t'en prie, excuse-moi, ce n'est vraiment pas de ma faute tu sais. Je voulais tellement venir te voir.

— C'est jamais d'ta faute ! Tu voulais venir, tu voulais venir ! A chaque fois tu dis la même chose, et tu n'es jamais venu ! Tu te rends compte P'pa ? JAMAIS !

Kurt est dépité. Il n'est pas fier de lui, et ne peut en vouloir à son fils, car à son âge, il aurait réagi de la même manière. Lui aussi était tout content quand ses parents venaient le voir jouer au basket. Il renouvela ses excuses, et ils rentrèrent à la maison chacun avec sa voiture, Ludo dans celle de sa mère. Le dîner fut silencieux et amer pour tous les trois.

Quand vint l'heure du coucher, Ludo fit un câlin à sa mère, une bise à la volée à son père, et il partit sans un mot dans sa chambre.

Sabina était mécontente.

— Kurt, tu ne peux pas continuer comme ça. Cette habitude d'être en retard pour tout est odieuse, et tu fais beaucoup de peine à ton fils. Je ne sais pas comment, mais il faut que tu trouves un moyen de changer.

Kurt réfléchit silencieusement, puis tout à coup lui dit :

— Ecoute chérie, dans ma société, on peut suivre des cours dans différents domaines, et je crois me souvenir d'avoir vu une session appelée 'comment bien gérer son emploi du temps'. Je te promets de suivre ce stage s'il est encore dispensé.

— Ce serait bien Kurt, car c'est vraiment pénible pour tout le monde tu sais.

— Oui je sais, tu as raison, je ferais plus attention.

Seulement voilà, tout en étant sincère, une fois de plus Kurt oublia ce qu'il avait à faire car il ne l'avait pas noté dans son agenda, et il ne tint pas sa promesse. Les mois passèrent, Sabina avait beau demander à Kurt s'il avait du nouveau pour son stage, peine perdue.

Et maintenant, on était à la veille du départ en vacances de Ludovic, qui allait en colonie pour un mois, sauf que Sabina était partie assister à un séminaire pour son travail. Kurt était donc chargé d'amener Ludovic à la gare. Inutile de dire comment il s'était fait sermonner par sa femme qui craignait à juste titre qu'ils ratent le train ! Même Ludo avait appelé les Sorcigentières à son secours car il tenait beaucoup à ses vacances où il retrouvait tout un tas de copains :

— Agabatur Ruob Manipot, avait-il murmuré.

Escagasse avait répondu :

— Rutabaga, Topinambour, mon sang ne fait qu'un tour, je vole à ton secours. Que se passe-t-il jeune-homme ? demanda-t-elle alors qu'elle savait tout du défaut de son Papa.

— Demain, mon père doit me conduire à la gare pour que je parte en vacances. Mais il est toujours en retard, et j'ai peur de ne pas attraper le train à temps. Pouvez-vous faire en

sorte que tout se passe bien s'il vous plaît ?
Elle avait sa petite idée sur la question. Escagasse le rassura et promit qu'il partirait en vacances, quoi qu'il arrive. Il n'était pas bien sûr d'avoir compris ce qu'elle voulait dire par là, mais il se sentit rassuré quand même.

Au petit matin, Kurt se réveilla à l'heure, il n'y eut pas de bousculade, et ils prirent la voiture dans un délai juste mais encore raisonnable. Manque de chance, un gros accident sur l'autoroute avait causé un monstrueux bouchon, et ils se retrouvèrent coincés dans la circulation pendant quarante-cinq minutes. Ludovic voyait l'heure tourner et il se crut abandonné par Escagasse. Arrivés à la gare, ils eurent beau courir, le temps de trouver le bon quai de départ, ils arrivèrent au moment où le train partait. Ludovic éclata en sanglots. Il croyait ses vacances fichues pour de bon. Kurt était furieux, contre lui, contre les autres. Pourtant, on ne pouvait dire que c'était de sa faute, mais il était assez honnête pour admettre que ça aurait pu tout à fait l'être. Il ne savait plus comment consoler son fils.

Escagasse avait fait exprès de secouer à nouveau ce Père paresseux de la montre, car il fallait bien qu'il finisse par comprendre que son attitude ne pouvait durer éternellement. Elle murmura à l'oreille de Ludovic :
— Dis à ton papa de s'informer sur le train suivant, ils ont ajouté des rames supplémentaires pour les congés scolaires, ne t'inquiètes pas.

Ludovic, entre deux sanglots, hoqueta :

— Papa, peut-être qu'il y a plus de trains comme c'est les vacances. Peut-être que je peux monter dans le suivant, tu crois pas ?

— Bien sûr, tu as forcément raison ! Comment n'y ai-je pas pensé ?

Et les revoilà à courir de nouveau vers le guichet d'informations. Effectivement, le prochain départ pour la même destination était prévu dans vingt minutes. Mais l'agent ne voulut rien savoir, il factura le nouveau billet sans rembourser le premier. Kurt commençait à réaliser les désagréments que peuvent engendrer un comportement comme le sien. Il paya sans discuter, et se penchant vers son fils, lui dit en rigolant, pour détendre l'atmosphère :

— Tu vois bonhomme, c'est la première fois que nous sommes en avance dis-donc !

Soulagé, Ludovic cessa de pleurer et réussit même à sourire.

— Et je te promets que ce ne sera pas la dernière fois !

Ce qui fut dit fut enfin fait. Après s'être dits au revoir par la fenêtre jusqu'à ce que le train disparaisse, Kurt partit à son travail. Et la première chose qu'il fit en arrivant, fut de s'inscrire à ces fameux cours de gestion d'agenda, pour apprendre tous les secrets de ce qu'on appelle la politesse des rois : la ponctualité.

La vérité travestie

Béatrice avait grandi dans une famille déchirée, avec un père brutal dont les colères et les coups avaient fait trembler la mère comme les quatre filles. Depuis son départ à sa majorité, elle pensait que la vie lui devait réparation, et plus particulièrement les hommes. Elle avait beau être devenue adulte, elle restait encore une petite fille dans sa tête. Dès la fin de ses études, elle avait trouvé un poste de standardiste dans une petite société, et n'avait qu'une idée en tête, celle d'avoir un enfant rien qu'à elle. Aussi, à presque vingt ans, lorsqu'elle rencontra Manuel et qu'ils tombèrent amoureux l'un de l'autre, elle se dit que le bonheur était tout proche. Manuel était très simple, profondément gentil, avait un bon travail et une famille unie. Ils se voyaient presque tous les soirs, beaucoup le week-end, et inconscients comme ils l'étaient, ne prenaient aucune précaution mais n'en avaient jamais parlé. Et comme les choses ne vont pas sans les dire, ce qui devait arriver arriva, elle fût enceinte très rapidement. Mais au lieu de partager cette nouvelle avec son compagnon, elle garda ce secret pour elle et changea même totalement d'attitude avec Manuel. Elle lui faisait des scènes de jalousie pour un rien, fouillant ses poches et reniflant ses chemises à la recherche d'un parfum étranger, l'accablait de reproches injustifiés et lui rendait la vie insupportable. Il avait tout essayé pour la comprendre, mais usé, et malheureux, il décida de la quitter, ignorant totalement ce qu'elle lui cachait.

Béatrice vécu donc sa grossesse toute seule tout en continuant son travail, et mit au monde un beau petit garçon. Elle était très contrariée. Elle croyait dur comme fer qu'elle aurait une fille qu'elle pourrait cajoler et vêtir comme une poupée, et voilà que la nature en avait décidé autrement ! Elle le prénomma Oscar et prit cependant assez bien soin de lui dans les premières années, malgré ses sautes d'humeur et son manque de patience. Mais quand il atteint l'âge d'aller en maternelle, les choses se compliquèrent. L'idée que son fils échappait à son contrôle l'insupportait, elle trouvait intolérable l'influence qu'il subissait des autres enfants, et plus il grandissait, plus son amertume se renforçait. En fait, pour être honnête, elle était dépassée par les besoins d'un enfant. Quand elle rêvait d'en avoir, elle était loin d'imaginer tout ce qu'il faut faire pour en élever un, toute seule du surcroît. Alors tous les prétextes étaient bons pour passer ses humeurs sur ce petit bout de chou pourtant adorable et affectueux.

S'il avait le malheur de rentrer de l'école avec un pantalon tout crotté parce qu'il était tombé dans la cour, elle se mettait à crier :

— Mais dans quel état tu es, regarde-moi ce porc ! Tu crois peut-être que je peux t'acheter dix pantalons avec mon travail ?

Ou s'il tombait malade parce qu'il y avait une épidémie à

l'école :

— Tu me prends pour une infirmière ou quoi ? Comme si je pouvais m'absenter quand je voulais pour te garder !

Ou encore s'il revenait avec des bleus suite à une bagarre :

— Avec qui es-tu encore allé traîner ? Non mais regardez-moi ce voyou ! Qu'est-ce que j'ai fait pour mériter un enfant pareil !

Les reproches étaient accompagnés de gifles ou de tapes sur la tête, ou de punitions et brimades en tous genres.

Oscar fondait en larmes à chaque fois, car il ne voyait pas trop ce qu'il avait de mal, et pourquoi sa mère criait si fort et le secouait comme un chiffon. Il était timide et craignait sans cesse de déplaire à sa mère. Alors il allait dans sa chambre et se mettait à prier pour avoir un Papa comme tous ses copains. Oh ! Que ça lui manquait d'avoir un Papa ! Un jour qu'elle avait l'air de meilleure humeur qu'à l'ordinaire, il osa poser la question à sa mère :

— Maman, pourquoi j'ai pas de Papa ?

— Tu as un Papa, mais c'est un vaurien.

— Un vaurien ? C'est quoi ?

— Quelqu'un qui ne vaut rien. Un méchant homme, qui me battait et t'aurait sûrement battu aussi s'il t'avait connu. Alors je l'ai quitté pour te protéger.

— Et où il est maintenant ? balbutia-t-il

— En prison figure-toi. A cause de ses vilaines actions. Alors je ne veux plus jamais que tu me parles de lui, c'est compris ?

Oscar était bouleversé ! C'était trop de chocs à la fois. Oui, il avait un Papa, et il avait failli sauter de joie. Mais non, il n'était pas gentil, alors il n'y avait pas de quoi être heureux. Et il ne pourrait pas le voir, et en plus pour une raison qu'il aurait honte d'avouer à ses copains. Alors la vie n'était pas juste, car il savait bien que sa maman n'était pas des plus douces ni des plus aimantes. Et il partit dans sa chambre pleurer en silence, comme chaque fois, pour ne pas l'irriter davantage.

Pourtant, une chose le tracassait. Il se rappelait qu'un jour ils avaient eu la visite d'une ancienne amie d'école de Béatrice, qui s'était exclamée en le voyant :

— Qu'est-ce qu'il est mignon ! C'est le portrait craché de son père.

— Mais pas du tout, qu'est-ce que tu vas chercher ? Ta remarque est ridicule, s'était récriée sa mère, furieuse, qui lui avait demandé aussitôt de cesser ces commentaires. D'ailleurs, depuis ce jour, ladite amie Colette n'était plus revenue.

Alors s'il ressemblait à son Père, comme celui-ci pouvait-il être méchant ?

Un jour, plongé dans un livre qu'on lui avait prêté, il prit connaissance de l'existence des Sorcigentières. Il se dit qu'elles pouvaient certainement l'aider et les appela :

— Agabatur Ruob Manipot.

— Rutabaga, Topinambour, mon sang ne fait qu'un tour, je vole à ton secours, répondit Bisbille en se posant sur sa table de chevet.

A la fois effrayé et ravi que sa formule ait fonctionné, Oscar lui demanda :

— Est-ce que c'est vrai que mon Papa est un méchant homme en prison ?

— Non mon enfant, ta maman t'a caché la vérité. En fait, il l'a quittée avant ta naissance parce qu'elle était invivable.

— Oh ! Mais ça change tout alors ! s'exclama Oscar transporté de joie. Est-ce que je peux le voir ? Vous savez où il habite ?

— Il est dans la même ville que toi, seulement il ne sait pas que tu existes car ta mère ne lui a jamais dit. Il faudrait déjà le préparer à cette nouvelle.

— S'il vous plaît, je vous en prie, vous pouvez faire ça pour moi ? Je voudrais tellement avoir mon Papa !

— Je te promets de le mettre au courant. Mais je ne peux pas te dire ce qui se passera ensuite ni quand.

Oscar n'était pas inquiet. Si son père apprenait qu'il avait un fils, se disait-il, il viendrait forcément le chercher.

— Oh ! Merci ! Merci beaucoup Madame Bisbille !

Que ce garçon est charmant et poli se dit Bisbille, il faut vraiment le sortir de cette situation déplorable. Et la voici qui s'envole, pensant déjà à son prochain coup bas. Elle ne tarda pas à trouver comment s'y prendre. Elle fit en sorte que Manuel et Colette aient envie d'aller au même magasin, le même jour et à la même heure. Effectivement, ils se croisèrent 'par hasard' dans la rue et se reconnurent de suite malgré les années. Comme ils n'avaient jamais été en mauvais termes, ils décidèrent d'aller prendre un café ensemble pour rattraper le temps perdu.

Immanquablement, après s'être mis au courant de leur situation actuelle, Colette lui parla de Béatrice, d'Oscar, et de cet étrange repas qu'ils avaient partagé en toute froideur après sa remarque spontanée.

Manuel n'en croyait pas ses oreilles. Il aurait un fils ! Qui aurait huit ans maintenant ! Il lui demanda :

— Tu es bien sûre de ce que tu dis ? Tu crois vraiment qu'il me ressemble ?

— Comme deux gouttes d'eau. Et puis tu n'as qu'à faire le calcul, tu l'as quittée il y a environ huit ans non ?

— Et elle a quelqu'un dans sa vie ?

— Pas à l'époque où je l'ai vue, et quelque chose me dit qu'elle n'y tient pas. De toutes manières, avec son caractère, elle doit toujours être célibataire.

— Ce serait plus simple pour moi si tu dis vrai. Je n'arrive pas à réaliser ! Un fils ! Et qu'elle m'a caché pendant toutes ses années !

Et de façon tout à fait inattendue, il se mit à pleurer, bouleversé par cette nouvelle. Colette s'en voulait presque. Elle qui trouvait cette rencontre sympathique et pensait n'avoir qu'une conversation légère avec Manuel, avait en fait déclenché un cataclysme.

Alors, pour le consoler, elle lui donna des conseils avisés et lui proposa son aide. Selon elle, le plus important était de faire valoir ses droits à la paternité. Mais pour cela, il fallait d'abord prendre contact avec Béatrice, et faire connaissance avec son fils si elle ne lui mettait pas des bâtons dans les roues. Et puis rester prudent. Après tout, rien ne prouvait qu'Oscar serait content de retrouver son père après tant d'années.

L'idée de revoir Béatrice n'enchantait guère Manuel, mais pour voir un fils qu'il aimait déjà sans le connaître, il était prêt à tout. Alors, après avoir vérifié avec Colette que leur adresse n'avait pas changé, il attendit un soir devant l'immeuble, à une heure où Béatrice devait logiquement rentrer tôt ou tard du travail. Quand elle l'aperçut de loin, elle pâlit.

— Que fais-tu là ? lui demanda-t-elle sur ses gardes.

— Je passais dans le coin et je voulais prendre de tes nouvelles, si tu veux bien me laisser entrer. Je ne prendrais pas beaucoup de ton temps, c'est promis.

Comme on était mercredi et qu'Oscar était encore chez sa baby-sitter, elle se dit qu'elle ne risquait pas grand-chose, d'autant qu'il n'avait rien d'agressif, et qu'elle se sentait si seule.

Elle lui proposa un café, et lui demanda l'objet de sa visite si soudaine et inattendue.

— Ecoute, je vais être très franc avec toi, j'ai entendu dire que tu as un garçon qui pourrait être mon fils.

— Et qui t'a raconté ça ? dit-elle aussitôt sur la défensive.

— Peu importe Béatrice, je te demande seulement de me dire si c'est la vérité. Si c'est le cas, j'estime que j'ai le droit de savoir. Je ne te veux pas d'ennuis, je veux juste savoir si ton fils est de moi.

— Et si c'était le cas, que ferais-tu de cette information ?

— Je ne sais pas Béatrice, tout ça est si nouveau, je n'ai pensé à rien d'autre qu'à le voir.

A force de douceur, patience et persuasion, Manuel obtint la confirmation qu'il attendait. Et Béatrice, épuisée par ces années où elle s'était battue toute seule, sans bonheur, avec des fins de mois très étriquées, éclata en sanglots. Elle lui expliqua que suite à son enfance, elle se méfiait des hommes et avait cru pouvoir s'en sortir toute seule. Elle avoua qu'elle avait menti à Oscar en lui donnant une piètre image de son père, et qu'il faudrait le préparer à la vérité, comme au choc de la nouvelle.

— C'est un gentil garçon tu sais, mais je n'ai pas su l'aimer. Ce n'est pas de sa faute, c'est juste que ma vie est minable et je lui ai fait payer mes erreurs sans le vouloir. Excuse-moi Manuel, je ne cherchais pas à faire mal.

Manuel qui la savait fragile, la consola du mieux qu'il put en évitant de lui faire des reproches. Quand elle retrouva son calme, ils convinrent de se revoir le week-end, chez elle, ce qui lui laissait le temps de parler à Oscar.

Pour une fois, Béatrice avait été gentille. Elle avait trouvé les mots justes pour annoncer la nouvelle à son fils, et lui avait même demandé pardon pour cet affreux mensonge. Bien entendu, Oscar avait déjà été informé par Bisbille du succès de sa démarche. Mais les enfants sont rarement rancuniers, et l'excitation d'avoir un Papa l'emporta sur tout le reste. La rencontre se passa merveilleusement bien. Béatrice, médusée, observait ces deux 'étrangers' se parler comme s'ils se connaissaient depuis toujours. En elle-même, elle se dit « C'est vrai qu'il lui ressemble, même si je n'ai jamais voulu l'admettre ».

De week-end en week-end, le père et le fils se découvrirent, et Béatrice trouvait le temps de se reposer davantage. Quand Oscar lui exprima son souhait d'aller vivre avec son père, il lui fallut admettre une vérité pourtant très difficile à accepter : elle avait échoué dans son rôle de mère, c'était au-delà de ses forces. Si bien qu'au lieu de s'affronter au tribunal comme des ennemis, ce qui ne pourrait que blesser leur fils et leur coûter très cher, elle concéda sans difficulté à Manuel le droit de garde légale. Elle se dit qu'il lui resterait la consolation de le voir de temps en temps, et peut être alors de pouvoir se racheter. Après tout, c'est vrai qu'Oscar était un gentil garçon et qu'il méritait mieux.

La pire des baby-sitters

 Maude avait eu de la chance. Après son divorce, comme elle travaillait en tant qu'infirmière de nuit dans un hôpital et avait un fils de 5 ans, Francis, elle ne croyait plus possible de refaire sa vie. Mais elle avait rencontré Gérard, mécanicien et propriétaire d'un garage, qui lui avait proposé de l'épouser. Généreux, il était prêt à élever Francis comme son fils, mais il souhaitait tout de même avoir un enfant à eux deux. Aussi, dans l'année qui suivit son emménagement dans le logement au-dessus du garage, Maude mit au monde un autre petit garçon qu'ils appelèrent Antonin. Leur vie n'était pas simple avec des métiers aussi prenants, mais le ménage allait bien et les enfants étaient en bonne santé. Aucun des deux n'avait réellement le temps de jouer avec eux ou de superviser leurs devoirs, mais Gérard était fier d'eux parce qu'ils promettaient de devenir de grands gaillards costauds comme lui. Ils grandissaient donc un peu à la va comme je te pousse, avec un manque de surveillance assez conséquent, et une scolarité peu brillante pour Antonin, mais personne ne s'en alarmait.

Pour les douze ans de Francis et les sept ans d'Antonin, pensant que ça les occuperait aussi bien qu'une baby-sitter, il leur avait offert une télévision pour la chambre qu'ils partageaient grâce à des lits superposés. Francis aimait beaucoup son petit frère et se doutait bien qu'il était trop jeune pour regarder les mêmes choses que lui. Alors il attendait qu'Antonin soit endormi pour regarder des films ... Hum ! Comment dire ? Un peu trop adultes, y compris pour lui d'ailleurs ! Mais comme les parents n'étaient jamais là pour censurer, il en profitait, en abusait même pourrait-on dire.

Ce qu'il ignorait, c'est qu'Antonin avait pris l'habitude de faire semblant de dormir, aidé par sa position au-dessus du lit de son frère, et qu'il ne perdait pas une miette de ce qui passait sur l'écran, fasciné par les images plus que par les histoires qu'il ne comprenait pas toujours, et ce jusqu'à ce que le sommeil l'emporte. Malheureusement, comme beaucoup de jeunes de son âge, Francis adorait les policiers, les films d'horreur et d'arts martiaux. Et il ne cessait d'en regarder. Si bien que pendant des années, Antonin se gava d'images aussi violentes qu'absurdes. Des bagarres chorégraphiées où les combattants se relèvent de tous les coups portés comme si rien ne pouvait les détruire. Des hommes en caoutchouc qui peuvent être assaillis par dix d'un coup sans avoir ne serait-ce qu'un bleu. Dans ces films, si on entend le bruit mat des coups de poing ou de pied, le cran de sûreté qu'on enlève d'une arme à feu ou le souffle des poignards qui volent, personne ne crie jamais de douleur. Donc rien avoir avec la réalité, mais les durs de durs, c'est bien connu, ça ne chouine jamais, c'est son Papa qui lui avait dit. Entre le laxisme et l'absence de pédagogie à la maison, Antonin arrivait ainsi à regarder seul la télévision en moyenne quatre heures par jour !

Or un jour, Francis s'apprêtait à fêter ses 15 ans, et avait eu la permission de ses parents pour recevoir tous ses copains à la maison et faire « une méga teuf ». Les parents viendraient déposer leurs enfants, et les rechercher à 22h30. Il avait donc invité une dizaine de copains et copines, en leur précisant que ce serait une soirée déguisée, avec pour thème des héros de cinéma. Lui bien entendu, avait choisi un costume d'un film d'horreur, habillé en justaucorps noir avec un squelette de couleur crème imprimé sur le devant, et un masque livide tordu par une grimace de revenant. Maude travaillait ce soir-là, comme d'habitude, et Gérard s'était réfugié au sous-sol où il s'était aménagé un espace pour dormir tranquille, prenant soin de mettre des bouchons d'oreilles. Quant à Antonin, il avait accepté de rester jusqu'au partage du gâteau, mais d'aller se coucher sagement après, pour laisser les 'grands' entre eux.

La soirée avait bien commencé. Il y avait un Spiderman, un Batman, un Dark Vador, une Lara Croft, un Indiana Jones, et plein d'autres encore. La musique techno battait son plein, et les blagues fusaient de tous les côtés. Il ne manquait ni de boissons ni de friandises, Antonin était ravi. Aussi, quand il eut fini sa part de dessert et qu'il fallut dire bonsoir à tout le monde, ce fut à contre cœur qu'il monta se coucher. Excité par cette atmosphère festive, il n'arrivait pas à fermer l'œil. Il faut dire que la musique n'aidait pas. Ah ! Ce qu'il aurait aimé avoir quelques années de plus pour rester aussi tard que les autres. Et puis cette Lara Croft, qu'est-ce qu'elle était jolie !

Tout à coup, alors qu'il commençait vaguement à papilloter des yeux, il décela le début d'une dispute. Le ton montait, il entendit son grand frère essayer de calmer le jeu, puis soudain un bruit de chute, et une exclamation de fille. Il sauta hors du lit et descendit en courant au salon. Juste à temps pour voir Francis, qui venait de se relever, recevoir un coup de poing dans la figure qui lui fendit sa lèvre supérieure. En voyant le sang commencer à couler, Antonin paniqua. Se croyant investi d'une mission, il regarda à droite à gauche, et se saisit de la première arme qui tomba sous sa main pour défendre 'son héros'. Prenant son élan, poussant un cri tout droit sorti des studios d'Hollywood, il planta le couteau à gâteau dans le bras gauche de l'adversaire qui osait s'en prendre à son grand frère, le retira, le planta à nouveau dans sa cuisse, et avant que trois des participants arrivent à le ceinturer et le neutraliser, il avait réussi à le blesser au côté droit.

Marc, la victime, hurlait de douleur, les filles étaient au bord de la crise de nerfs, Francis était atterré et ne savait plus où donner de la tête. Gérard, réveillé malgré son isolement par tous ces cris, apparut dans le salon sens dessus dessous à cet instant précis. Il mit quelques secondes à comprendre la situation, puis se précipita sur le téléphone pour appeler des secours. En les attendant, il fit un garrot au bras et à la jambe de Marc pour parer au plus pressé, et examina son fils, couvert de sang, pour voir s'il était blessé. Mais Francis réussit, entre deux sanglots d'angoisse, à lui expliquer la situation. Perdant tout son sang-froid, alors qu'il tenait encore Antonin ébahi près de lui, il lui flanqua une gifle magistrale qui l'envoya au tapis. Il était déjà dix heures, les parents n'allaient pas tarder à arriver. Comment, mais comment, allait-il leur raconter ce qu'il s'était passé ?!

Les ambulanciers débarquèrent à ce moment-là, avec leur matériel et accompagnés d'un médecin. Très rapidement, après avoir nettoyé les plaies de Marc, il fut en mesure d'annoncer à Gérard que les blessures n'étaient pas aussi profondes qu'elles en avaient l'air, aucun nerf n'était sectionné, et le sang était plus impressionnant que la gravité des entailles.

Cependant, tandis que les ambulanciers se chargeaient de Marc, il demanda à Gérard de pouvoir parler à Antonin, et c'est là qu'ils se rendirent compte tous les deux que quelque chose clochait :

- Antonin, est-ce que tu sais ce que tu as fait ? lui demanda le docteur

- Ben oui, mon grand frère se faisait attaquer, alors je l'ai défendu.

- Et comment l'as-tu défendu ?

- Avec le couteau à gâteau, dit-il tout fier de sa trouvaille. Bon évidemment, un justicier en pyjama, c'est pas top, n'empêche que je l'ai mis hors d'état de nuire, pas vrai ?

- Et tu as poignardé Marc avec ? dit le docteur, ignorant la seconde remarque.

- C'est Marc qui avait commencé, il fallait bien qu'il soit

puni.

- Avec des coups de couteau ? Tu sais que tu aurais pu le tuer ?

- Vous rigolez, je lui ai à peine fait mal, vous l'avez dit vous-même. Enfin, c'est bête parce que du coup la fête est finie.

Aucune trace d'émotion, de regret ou d'affolement sur le visage d'Antonin. Francis n'en croyait pas ses oreilles. C'était terrifiant.

Le médecin prit Gérard à part pour lui parler sérieusement.

- Je crains que votre fils ne se rende absolument pas compte de ce qu'il a fait, il est totalement déconnecté de la réalité. Je vous conseille de le faire examiner rapidement par un psychiatre, ce n'est pas un comportement normal.

Sur ces entrefaites, les parents commencèrent à arriver, et quand les premiers constatèrent les dégâts et furent mis au courant de l'affaire, ils s'empressèrent de quitter les lieux avec leur progéniture, non sans invectiver Gérard qu'ils considéraient comme responsable et lui dire que c'était la dernière fois qu'il voyait leurs enfants. Puis les parents de Marc arrivèrent, mis au courant par le docteur et Gérard qui leur avait téléphoné.

Ça tombait mal, les sorcigentières étaient en séminaire pour la semaine. Cela dit, personne ne les aurait appelées, Francis parce qu'il était trop grand, et Antonin parce qu'il ne lui serait pas venu à l'idée qu'il puisse avoir besoin d'aide.

Gérard, qui avait retrouvé son calme, essaya de convaincre les parents de Marc de ne pas porter plainte, en leur expliquant que le médecin avait détecté des troubles psychologiques chez Antonin, dont il s'occuperait le plus vite possible. Mais ils ne voulurent rien savoir, estimant à juste titre l'incident trop grave pour passer l'éponge. Ils partirent donc et suivirent l'ambulance qui emmenait Marc se faire recoudre aux urgences.

Enfin seuls tous les trois, Gérard, qui était plus un homme d'action que de paroles, leur ordonna à tous les deux de nettoyer entièrement le salon et de le remettre en état illico presto. Puis il envoya Antonin prendre un bain chaud pour le calmer, et appela sa femme pour lui demander de rentrer aussi vite qu'elle pourrait. Il n'eut pas le courage de lui expliquer au téléphone, mais quand elle franchit la porte, il la serra très fort dans ses bras, encore tremblant, épuisé par cette épouvantable soirée. Ils discutèrent avec Francis pour tenter de comprendre ce qui avait pu traverser la tête de son petit frère. Mais on n'était pas psychologues dans la famille, et faire le lien entre Antonin et tous ces films qu'il avait pu voir sans que personne ne le sache, leur était impossible.

Toutefois, Maude prit rendez-vous chez le pédopsychiatre que leur médecin de famille lui avait recommandé, et réussit à lui emmener Antonin dans la semaine. Il passa vingt minutes avec la mère pour avoir un aperçu des récents évènements, et quarante-cinq minutes avec Antonin pour cerner sa personnalité. Et le diagnostic tomba comme un couperet. Il était en proie au stress et à l'anxiété, préférait s'identifier à des héros de cinéma plutôt que de socialiser, et se déconnectait ainsi de la réalité. D'où ses difficultés à acquérir des connaissances à l'école, et ses résultats passables. Rien qui ne puisse se soigner, mais suffisamment pour que Maude et Gérard s'en inquiètent et décident de prêter davantage attention à leurs enfants. Ils s'engagèrent à faire suivre et soigner Antonin, et firent disparaître à tout jamais la télévision de la chambre des garçons. Mais ce petit garçon d'apparence si gentil porterait toute sa vie ce stigmate de violence, comme une marque au fer rouge sur le flanc du bétail.

Le prix de l'argent

 Et oui ! L'argent a un prix. D'abord parce qu'il faut le fabriquer, car il ne vient pas en graines à semer dont on récolte les fruits quand ils sont mûrs. Puis parce qu'il faut le gagner, avec plus ou moins d'effort, car si certains ont de la chance à un jeu de hasard ou reçoivent un gros héritage, la grande majorité des gens gagne sa vie en travaillant. Pourtant, chaque individu pose un regard très personnel sur l'argent. Même à revenus égaux, deux personnes peuvent réagir de façon tout à fait différente quand il s'agit de dépenser, d'épargner, de prêter, ou d'emprunter une somme.

Nicolas a fait très tôt l'apprentissage de la formule « toute peine mérite salaire ». Ses parents lui donnent en effet de l'argent de poche depuis qu'il est en âge d'effectuer certaines tâches à la maison. C'est ainsi qu'il a mis la main à la pâte, et commencé à soulager sa mère de certaines corvées domestiques. Maintenant qu'il avait douze ans, il lavait les vitres de toutes les fenêtres, passait l'aspirateur, nettoyait la voiture familiale, sortait les poubelles et aidait son père également dans ses divers travaux de bricolage. Econome et généreux, il mettait tous ses sous de côté dans une tirelire et ne les dépensaient qu'aux grandes occasions. Pour lui, ce n'était pas difficile car il ne manquait de rien question vêtements, nourriture, fournitures scolaires, et n'aimait pas particulièrement les bonbons. Généralement, quand il s'autorisait à faire une « grosse dépense », c'était pour un livre ou un CD car il adorait lire et écouter de la musique. Mais depuis quelques temps, il ne dépensait plus rien car l'anniversaire de sa grande sœur approchait, et elle allait avoir dix-huit ans, ce qui lui paraissait être un événement très important à célébrer. Il s'était mis en tête de lui offrir un beau stylo plume dans un écrin de velours, et avait mis sa mère dans la confidence.

A l'école, cela faisait deux ans que Nicolas était dans la même classe que Charlie, devenu rapidement son meilleur ami. Un peu tête en l'air mais généreux, Charlie était surtout très drôle et toujours de bonne humeur. Il était un fils unique un peu gâté, et n'avait pas besoin de faire quoi que ce soit pour avoir de l'argent de poche, ses parents lui allouant une somme fixe chaque mois dont il faisait ce qu'il voulait. Mais un jour, Charlie avait fait une bêtise chez un copain, et endommagé le lecteur de DVD qui ne fonctionnait plus. Les parents ayant exigé de leur fils qu'il se débrouille pour en acheter un autre, Charlie était bien obligé de l'aider puisqu'il était responsable. Comme il mettait rarement d'argent de côté, il était loin du montant d'un nouvel appareil. Alors il pensa à son ami Nicolas.

- Nicolas, j'ai un problème, pourrais-tu me prêter 50 euros s'il te plaît ?
- Cinquante euros ?! Mais c'est une grosse somme ça, qu'est-

ce qu'il t'arrive ?

Charlie lui expliqua sa mésaventure, et lui dit qu'on pouvait trouver un lecteur pour 70 euros, mais qu'il n'en avait que 20.

- Tu ne peux pas demander à tes parents ? lui dit Nicolas

- Bah ! J'ai pas vraiment envie qu'ils soient au courant de ce que j'ai fait. J'aimerais mieux me débrouiller tout seul.

- Ecoute, je n'ai que 35 euros, mais ça m'ennuie parce que l'anniversaire de Guillemette approche, et je vais vraiment en avoir besoin.

- T'inquiète pas, on est bientôt à la fin du mois, je te rembourse la semaine prochaine, c'est promis.

Nicolas ne se sent pas le courage de refuser d'aider son ami. Mais il est un peu nerveux, c'est la première fois qu'on lui emprunte ses sous, et il ne sait pas trop comment réagir. Le soir même, n'écoutant que son bon cœur, il met la somme dans son sac d'école, et la confie à Charlie le lendemain.

- Sûr, tu vas pouvoir me les rendre la semaine prochaine ?

- Juré, tu me connais, je ne te laisserai pas tomber. En tout cas, tu me dépannes beaucoup, t'es un super pote. Je trouverais quelqu'un d'autre pour le reste.

La semaine passe, et la moitié de la suivante, mais Nicolas ne voit rien venir. Il se dit que ce ne serait pas très joli de réclamer tout de suite, que Charlie a peut-être besoin de toute la semaine, et décide d'attendre que ça vienne de lui. Mais le vendredi arrive, et Charlie ne parle toujours pas de son emprunt. Réunissant tout son courage Nicolas lui dit :

- Au fait Charlie, tu penses à me rembourser mon argent ?
- Ah oui, excuse-moi, j'avais complètement oublié ! Ecoute, évidemment je ne l'ai pas avec moi, mais lundi c'est sûr, je te l'apporte.
Le week-end passe, lundi également, toujours rien. Nicolas commence à être un peu inquiet. Il ne voudrait pas que ce soit un sujet de discorde entre eux, mais il ne lui reste que six semaines pour acheter le cadeau qu'il a en tête, et ça le travaille. Cette fois-ci il lui en parle le jeudi, pour que Charlie n'ait pas l'excuse du week-end pour oublier.
- Ah mince, Nicolas je suis désolé, c'est trop bête, je ne sais pas pourquoi, j'y pense en rentrant à la maison, et puis le lendemain j'oublie. Je fais un nœud à mon mouchoir, ce sera demain sans faute.
Mais demain, la semaine qui suit et celle d'après, toujours rien. Un soir, aux bords des larmes parce que la date approche et que Charlie n'a toujours pas honoré sa dette, il murmure :
- Agabatur, Ruob Manipot.
- Rutabaga, Topinambour, mon sang ne fait qu'un tour, je vole à ton secours, entend-il à son oreille. Escagasse vient d'atterrir sur son petit bureau et lui fait face.
- Que t'arrive-t-il mon garçon, en quoi puis-je t'aider ?
Nicolas lui raconte son souci, mais Escagasse ne s'attendrit pas et répond :
- Je ne vois qu'une solution, il faut que tu mettes les bouchées doubles pour regagner l'argent que tu n'as plus
- Mais ce n'est pas juste, je l'avais cet argent, c'est Charlie qui

doit me le rendre.

- Peut-être, mais je te rappelle que c'est toi qui as pris la décision tout seul de lui prêter, et s'il oublie constamment, il va bien falloir que tu te débrouilles sans lui. Je vais t'apprendre une chose, on ne devrait prêter que ce dont on est capable de se priver, sinon on risque de perdre et l'argent, et l'ami.

Et sur ces paroles frustrantes, elle s'envole, avec l'intention d'aller susurrer des remontrances à l'oreille de Charlie, mais sans rien en dire à Nicolas. Celui-ci, furieux mais gonflé à bloc par son objectif, augmente sa participation : il se met à préparer les machines de linge, plier et ranger le sien une fois qu'il est sec ; à nettoyer sa chambre de fond en comble, à ranger les courses dans les placards, à mettre et débarrasser la table. Guillemette qui s'occupait généralement de ces choses, l'avait d'autant plus aidé à les prendre en charge, qu'elle pouvait consacrer plus de temps à faire ses devoirs. Sa mère cependant, qu'il n'avait pas mis au courant car il sentait confusément qu'elle ne serait pas contente, s'étonnait de ce regain d'énergie.

- Dis, si tu continues comme ça, c'est un stylo en or que tu vas pouvoir acheter à ta sœur !

Nicolas hausse les épaules mais ne répond rien. Ce n'est pas un sujet de plaisanterie. Pourtant, il se débrouille si bien, qu'il arrive à nouveau à réunir le montant du cadeau qu'il a en tête. Accompagné de sa mère, il entre dans cette papeterie qu'ils avaient vue ensemble, où ils ont un grand choix de toutes les marques. Après avoir jeté un coup d'œil à tous ceux qui entrent dans son budget, il s'arrête sur un magnifique stylo avec une pointe fine et élégante, laqué bleu, car c'est la couleur préférée de sa sœur. Pas peu fier, il fait son acquisition en précisant au vendeur qu'il souhaite un emballage cadeau. Puis ils finissent d'autres courses ensemble et rentrent à la maison. Il écrit un mot sur une jolie carte qu'il a dessinée lui-même, et le voilà fin prêt pour le lendemain, jour J tant attendu.

Guillemette a un anniversaire en effet très particulier. Elle le fête avec des amis qu'elle a invités pour le déjeuner, et une deuxième fois le soir en famille. Elle a été bien gâtée. Et quand elle découvre le cadeau de son petit frère, elle est très émue.

- Il est magnifique, s'écrie-t-elle ! Je comprends maintenant pourquoi tu t'es démené comme un diable à la maison, ajoute-t-elle en riant. Ça a dû te coûter une fortune mon Nico chéri ! Et elle va l'embrasser en le serrant tendrement dans ses bras.

Si elle savait ! Et comment qu'il lui a coûté cher ce stylo ! Mais c'est un tel bonheur de voir qu'il plaît à sa sœur, que Nicolas ne regrette rien.

Le week-end passé, quand Nicolas retourne à l'école, il est soulagé de s'être sorti de son impasse, mais amer vis à vis de son ami qui n'a pas respecté sa parole. Aussi, il est tout surpris de le voir venir vers lui avec un grand sourire :

- Nicolas, tu ne vas pas me croire, mais j'ai pensé à tes sous. Les voici, avec des intérêts en plus pour le retard, dit-il en lui tendant deux beaux billets de 20 euros. Quatorze pour cent d'intérêts, c'était effectivement très généreux de sa part.

Nicolas est éberlué. Même si ce n'était pas trop tôt, il n'en demandait pas tant !

- Il n'y a pas de raison Charlie ! Je t'avoue que tu m'as mis dans l'embarras, mais je ne vais quand même pas profiter de la situation.

- Ecoute, l'idée ne m'est pas venue toute seule, mais j'ai fait un drôle de rêve il y a deux nuits : c'était à l'école et on suivait un cours sur l'argent justement. C'était compliqué, on devait faire un budget, prendre un crédit avec des intérêts et calculer le coût total de l'emprunt. Et la prof était fâchée contre moi parce que je ne faisais que donner des mauvaises réponses. Chaque fois que je disais une bêtise, elle me taxait de 3 euros. Alors du coup, impossible de t'oublier une fois de plus.

Il y avait de la sorcigentière là-dessous, c'était évident. Mais Nicolas n'allait pas faire la morale à Charlie, trop heureux de n'avoir perdu ni son ami, ni ses économies.

Agabatur Ruob Manipot

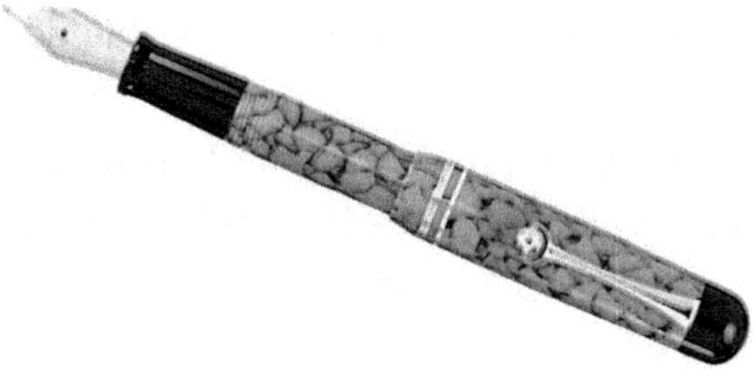

Une main de fer dans un gant de velours

 Six semaines de cette dernière année du primaire venaient à peine de se terminer, que le professeur de Français eut un grave accident de voiture et qu'il fallut le remplacer. L'inquiétude rôdait dans les couloirs, car les enfants savaient ce qu'ils perdaient, un monsieur désabusé après trente ans d'enseignement, mais certes pas ce qu'ils allaient gagner. Or des rumeurs circulaient que la nouvelle menait ses classes à la baguette et ne tolérait aucun manquement à la discipline. Ce n'était pas pour arranger les affaires des « Ninjas » comme ils aimaient se faire appeler, Malik, Rachid et Emile, les trois terreurs de la classe, tant pour leurs camarades que pour les enseignants.

Les sorcigentières se réunirent au plus vite, profitant de l'occasion pour tenter de redresser ce bateau qui partait à la dérive. Outrées par le niveau général d'instruction, qui était nettement meilleur trois générations plus tôt, et par le comportement de ces jeunes qui ne respectent plus rien parce qu'ils n'ont plus peur de rien, elles se mirent à jacasser, intarissables sur le sujet. Escagasse était la première à s'en plaindre.

- De mon temps, quand un maître haussait la voix, on tremblait dans ses chaussettes.

Bisbille renchérit :

- Oui, et quand on était puni, on savait qu'on l'avait mérité. Maintenant, si par malheur un prof touche un cheveu d'un de ces perturbateurs, c'est lui qui a peur des représailles.
- C'est le monde à l'envers, ajouta Malypense
- Et bien commençons par leur envoyer quelqu'un au caractère bien trempé, dit Fouillassonne
- J'ai déjà prévu celle qu'il leur faut ! s'exclama Greluche
- Ah bon ?! s'écrièrent les autres, étonnées de son initiative. Mais il est vrai que Greluche avait le bras long et connaissait plein de monde.
- Si, si, faites-moi confiance, c'est une nouvelle recrue qui ne manque ni de bonnes idées ni d'énergie. Elle innove avec des idées conservatrices. Les bonnes vieilles méthodes remises au goût du jour si vous préférez.
- Alors dispersons-nous parmi les pires d'entre eux et assurons-nous qu'ils se montreront sous leur plus mauvais jour, suggéra Malypense
- Ça marche ! dirent-elles en chœur. Topons-là, c'est parti ! Et elles se glissèrent dans la tête de plusieurs élèves, dont nos trois Ninjas bien entendu.
C'est ainsi que la remplaçante arriva comme prévu un lundi matin à dix heures, ouvrit la porte de la classe, et eut à peine le temps de se faufiler jusqu'à son bureau qu'une horde braillarde envahit la salle. Chacun, comme à l'accoutumée, se rua sur sa place, près de son voisin préféré. Une fois son petit monde installé, elle se leva, et les enfants prirent enfin le temps de regarder à qui ils avaient affaire. Grande, mince, les cheveux auburn, mi-longs et ondulés, des yeux pétillants

de vitalité et quelques taches de rousseur autour du nez, elle faisait jeune, athlétique et déterminée. Elle se retourna pour écrire son nom au tableau : Mademoiselle Ladandur. Malik poussa du coude Emile et lui dit :

- C'est ça qui fait trembler tout le monde ?

Et les Ninjas de ricaner. Mais elle posa sa craie, fit le tour de la classe pour prendre ses repères, puis claqua dans ses mains et dit, à la surprise générale :

- Nous ne sommes pas dans un zoo ici, cette entrée était lamentable. Vous allez ranger vos affaires, prendre vos sacs, et sortir quand je vous le dirais pour vous mettre en file indienne dans le couloir.

Les gamins étaient interloqués.

- Qu'est-ce qu'elle nous joue celle-là ? dit Emile à voix basse.

Melle Ladandur se mit à désigner les enfants de la première rangée à la dernière, en partant des extrémités pour finir par le centre, recomposant ainsi des binômes totalement différents.

Quand ils furent tous alignés correctement devant la classe, Melle Ladandur leur ordonna :

- Vous allez rentrer deux par deux, calmement et en silence. Les anciens du premier rang se mettront au fond et inversement. Et vous resterez debout jusqu'à ce que je sois derrière mon bureau. Ceux qui ont un chewing-gum dans la bouche ou quoi que ce soit d'autre sont priés de le jeter en passant devant la corbeille.

Une fois la nouvelle répartition terminée, elle entra en disant :

- Bonjour les enfants.

Comme elle n'eut aucune réponse, elle mit sa main en cornet sur son oreille gauche et ajouta :

- Qu'est-ce qu'on répond ?

Elle entendit de tout, du simple bonjour au salut, voire un silence total pour certains qui s'étaient même déjà assis.

- On recommence. La bonne réponse est 'Bonjour Melle Ladandur'. Et vous n'aurez le droit de vous asseoir que quand je vous y aurai invités.

Malik était tenté de dire « Oh là ! Ça commence mal » à son voisin, seulement voilà, il n'avait ni Rachid ni Emile à ses côtés, et de plus il se trouvait au premier rang d'où elle pouvait l'entendre. Alors il fit comme tout le monde, répéta la formule de politesse, et resta debout.

- Bien, voilà enfin une tenue convenable. A partir de maintenant et jusqu'à la fin de l'année scolaire, vous entrerez de cette façon et conserverez les mêmes places.

Elle leur demanda d'ouvrir leur livre de Français à la page 21, désigna Éric au hasard pour lire le texte à voix haute, et Rachid, pas du tout au hasard, pour venir au tableau écrire ce qu'il entendait. Éric lisait correctement, quoiqu'un peu hésitant, mais Rachid faisait plein de fautes au tableau. Conscient qu'il avait du mal à orthographier la plupart des mots, il en devenait tout rouge et énervé. Malik, croyant aider son copain en détournant l'attention du prof, lâcha un rôt retentissant. Escagasse se déchaînait.

- Silence ! cria Melle Ladandur à ses élèves pris de fou rire.

- Malik, vous êtes prié de vous lever et de présenter vos

excuses à tout le monde. Premier avertissement.

Malik se leva à contre-cœur, vexé d'avoir été si vite repéré, et marmonna un :

- Je m'excuse, puis se rassit.

- Que vous vous excusiez tout seul n'a aucun intérêt pour qui que ce soit Malik. Quand on fait une erreur, on demande à être excusé ou on présente ses excuses. Et vous pourrez vous rasseoir quand je vous le dirais. On recommence, et en vitesse.

- Pardon d'avoir roté, dit-il tout piteux après s'être remis debout

- C'est bon, reprenez votre place.

Mais Malik l'avait mauvaise. Cherchant encore à fanfaronner, il murmura à son voisin :

- Chez nous, les femmes se taisent et elles obéissent.

Melle Ladandur qui avait l'oreille fine, lui rétorqua aussitôt :

- Ici Malik, vous n'êtes pas chez vous mais dans une école publique, dans MA classe, et sous MON autorité. Deuxième avertissement. Prenez une feuille et écrivez : 'être insolent ou effronté n'est pas un signe d'intelligence ni de courage. Ce n'est pas non plus un moyen de communiquer en société mais un manque de savoir-vivre. La fois prochaine je réfléchirai avant de parler.' Vous écrirez ceci trente fois et le ferez signer par vos parents.

Malik ricanait intérieurement. Trente fois, se dit-il, et elle croit qu'elle est sévère. D'habitude, les punitions écrites c'est cent fois. Oui mais voilà, se croyant toujours le plus fort, Malik n'avait pas fait le calcul que trois phrases répétées trente fois faisaient quatre-vingt-dix phrases en tout à écrire.

- Au fait, j'ai oublié de vous expliquer mes règles, dit Melle Ladandur en s'adressant à l'ensemble. Le premier avertissement est un rappel à l'ordre qui vous laisse une chance de rectifier votre comportement. Le deuxième est assorti d'une punition. Au troisième je convoque les parents, et au quatrième vous allez directement dans le bureau du Directeur. Reprenons la lecture et la dictée.

Rachid, toujours debout sur l'estrade, se crut malin d'ajouter :

Ah ! Bah si vous convoquez mes parents, je crois que c'est plutôt mon père qui vous intimidera.

Si Fouillassonne poussait le bouchon un peu loin, c'est qu'elle savait le bougre capable d'autant d'effronterie.

Pas de chance, Melle Ladandur, encore jeune, enthousiaste, motivée et consciencieuse, s'était scrupuleusement renseignée sur chaque élève, cherchant à connaître leur situation familiale et sociale. Elle savait pertinemment que le père de Rachid, ouvrier en bâtiment, était décédé suite à un accident de travail sur un chantier. Et que sa mère, pour joindre les deux bouts, avait courageusement accepté un poste de femme de ménage dans une entreprise du coin. Elle regarda Rachid droit dans les yeux, qui tentait vainement de la défier, et lui demanda :

- Souhaitez-vous réellement que nous parlions de votre père, Rachid ?

- Euh ! Bah ! C'est-à-dire, bredouilla-t-il tout à coup désarmé

- Je crois que ça peut attendre une autre fois, n'est-ce pas ?

- Oui ! Oui tout à fait ! S'exclama-t-il soulagé.

- Pour la dernière fois, reprenons, sinon la prochaine punition sera pour tout le monde.

Éric reprit donc sa lecture, cette fois-ci dans un calme absolu car plus personne n'osait créer d'interruption supplémentaire. Melle Ladandur avait remarqué depuis un moment le manège d'Emile, ou Bisbille si vous préférez. Il griffonnait sur des bouts de papiers qu'il jetait par terre au fur et à mesure, et puis s'était mis à graver des sillons dans le bois du bureau à la pointe de ses ciseaux. Mais ravie qu'Éric puisse enfin lire tranquille, elle décida d'attendre la fin du cours. Elle regarda Rachid qui venait d'écrire la dernière phrase, et lui dit, cette fois-ci de façon très gentille :

- Il y a beaucoup trop de fautes pour quelqu'un qui s'apprête à rentrer au collège, et je suis sure qu'il n'est pas le seul. Rachid va essayer de trouver tout seul les fautes qu'il pense avoir commises. Vous en faites autant dans la classe, et s'il en oublie, vous pourrez lever le doigt pour le signaler.

Et phrase par phrase, patiemment, Melle Ladandur reprend toutes les erreurs d'orthographe ou de grammaire, les explique, et demande à Rachid de rectifier au tableau. En les faisant tous participer, les élèves se sentent soudainement impliqués, chacun d'eux s'empressant de trouver la bonne solution.

Elle aurait voulu leur poser plusieurs questions de compréhension de texte, et découvrir ainsi leurs connaissances réelles. Seulement avec tous ces rappels à l'ordre, on avait perdu beaucoup de temps, et la cloche se mit à sonner, à l'étonnement général car personne n'avait vu l'heure passer.

Alors Melle Ladendur se redressa et déclara à toute la classe :
- Je suis à la disposition de tous ceux qui ont des difficultés pour les aider à remonter la pente durant l'étude. Il ne sera pas dit qu'un seul de mes élèves redoublera à cause d'un mauvais niveau. Quant à vous Emile, vous resterez après les autres pour nettoyer toute la classe, ça vous apprendra à vous comporter comme un cochon et à dégrader le matériel.

Emile n'en revenait pas, elle l'avait vu faire ! Si on ne pouvait même plus faire de bêtises en silence alors ! Mais en donnant le ton dès la première heure de cours, Melle Ladandur s'était fait respecter, s'épargnant ainsi d'autres efforts à long terme, car plus les mauvaises habitudes s'installent, plus elles sont difficiles à rectifier. Et au fur et à mesure des mois qui passaient, les retardataires voyaient leurs notes grimper, reprenaient confiance en eux et même goût en la matière. Tant et si bien qu'avant le dernier conseil de classe, ils aimaient tous Melle Ladandur. Ils avaient compris qu'elle prenait son métier à cœur, agissant autant avec une poigne de fer qu'avec une grande générosité, mais toujours pour leur bien.

La vie n'est pas un jeu

Attention : Cinq !
Michel s'accroupit et remonte très vite en avalant une grande goulée d'air du plus profond de ses poumons.
- Quatre

Droit debout, il expire lentement et à fond.
- Trois
Il plie les jambes et inspire à nouveau.
- Deux
Expire de toutes ses forces
- Un
Il se remplit d'air, encore et encore...
- Top chrono, c'est parti !
... et se retient d'expirer, pendant qu'Alec serre lentement mais sûrement le foulard qu'il lui a passé autour du cou. Pour avoir emporté la plus longue durée sans respirer, il s'est arrogé le droit de défier ses petits copains dans la cour de récréation. Pas fou, il dirige les opérations, mais ne se porte jamais volontaire pour une tentative de plus, les souvenirs des premières ayant été plutôt douloureux, ce qu'il s'est bien gardé d'avouer. Au lieu de cela, il fanfaronne, et répète à qui veut l'entendre qu'il avait eu des sensations merveilleuses, qu'il s'était senti tout léger, jusqu'à avoir l'impression de voler. A chaque nouvelle version, il en rajoute, et s'est même approprié ce jeu dangereux de

strangulation en le renommant « un ticket vers le bonheur ». Alec regarde sa montre, et la grande aiguille qui défile, seconde après seconde. Michel est en train de vivre la même expérience, avec cette idée fixe de battre Alec et son arrogance. Il faut dire que la pression du petit groupe de copains était très forte, et qu'il avait eu peur de passer pour un 'dégonflé'.

A peine vingt secondes, et il se sent déjà flotter. Encore, il faut tenir encore, dépasser le record de son rival. Une seconde de plus, ça suffirait pense-t-il. Puis ses idées se brouillent, son cerveau n'est plus irrigué par la carotide, cette veine du cou qui est si compressée par le tissu. Il se sent faible, veut faire un signe qu'il abandonne, mais c'est trop tard, il s'écroule, inconscient, sur le pavé de la cour.

Georges le pousse du bout du pied :

- T'as gagné mon pote, de peu mais t'as gagné ! Michel ne bronche pas.

Sylvain rigole, il était sûr qu'il allait battre Alec. Sur ce coup-là, il avait bien fait de parier, ça lui ferait quelques Euros de plus. Puis il se penche vers son copain et, le voyant immobile, les yeux toujours fermés, lui soulève le menton pour lui rappeler que le jeu est fini.

Hélas oui, le jeu est fini, bien plus qu'ils ne l'imaginent : Michel ne se réveille pas. Ils lui donnent quelques claques, essaient de le relever en le tenant de chaque côté, mais c'est un pantin aux bras ballants, aux pieds qui raclent le sol quand ils font quelques pas, car ses jambes ne répondent plus. A un millième de seconde près, Michel est tombé dans le coma.

Ils n'ont pas entendu la fin de la récréation, ni même s'approcher le principal, qui, de sa fenêtre, a vu la fin de la scène et accourt, mais trop tard, pour constater les dégâts.

D'une voix tonitruante, il réclame des explications, brandit des menaces d'expulsion, tout en appelant les secours de son téléphone portable. L'ambulance arrive très vite, et Michel est emmené aux urgences les plus proches. Des policiers, également prévenus par le Directeur, débarquent à leur tour. Le cas n'est pas nouveau pour eux, et ils ne sont ni tendres ni complaisants avec ces trois jeunes gredins tout penauds qui ne savent plus quoi dire. L'un d'eux leur lance brutalement, pour qu'ils réalisent la gravité de la situation :

- Vous n'avez plus qu'à espérer qu'il vivra, sinon vous aurez à répondre de comportements violents ayant entraîné la mort sans intention de la donner.

A l'hôpital, Stéphanie et Daniel, les parents de Michel, et sa sœur Amandine viennent d'arriver. La mère se jette en pleurs dans les bras de son mari, angoissé parce qu'il ne comprend pas. Le docteur vient de leur raconter les faits, ou du moins le peu qu'il en sait, mais les parents sont sans voix. Michel était un garçon joyeux, dynamique, sans problème, ayant de bons résultats scolaires, aimant et très proche de sa jeune sœur, au collège dans le même établissement que lui.

- La police déterminera les circonstances de cet accident, mais tout ce que je peux vous dire pour le moment c'est que votre fils est dans un état critique. Il est trop tôt pour se prononcer sur l'avenir. En attendant je vous recommande vivement d'aller voir notre psychiatre, spécialisée dans le support aux victimes de ce type de tragédie.

Amandine se rappelle que son frère, une fois au lycée, lui avait raconté avoir participé au « jeu de la cannette ». Encore une invention stupide de garçons en mal de prouver leur virilité. Ce jeu consiste à lancer une cannette de soda vide, et à ruer de coups celui qui n'arrive pas à la rattraper. Malheureusement ou heureusement, ce combat de coqs laisse des traces. Comme Michel était revenu plusieurs fois à la maison avec des bleus partout, Stéphanie s'en était alarmée, et il avait prétexté des bagarres sans lendemain. Mais Michel avait prévenu ses copains qu'il abandonnait, pour rassurer sa mère et sa sœur. Elle ne peut s'empêcher de penser qu'il a dû trouver autre chose à la place.

Daniel, qui avait besoin de rester seul avec son chagrin, demanda à sa femme de rentrer à la maison avec Amandine, prétextant qu'il y avait école le lendemain, et promit de les rejoindre une heure plus tard. Une fois parties, il prit la main de son fils dans la sienne, la serra très fort en lui demandant de revenir bien vite, mais devant l'absence de réaction, il s'enfonça la tête dans les draps et se laissa aller à pleurer comme il n'avait jamais pleuré auparavant.

Le lendemain, ils allèrent tous les trois voir la psychiatre, Amandine étant en âge et en droit de savoir ce qui était arrivé à son frère.

- Docteur, nous avons besoin de comprendre, notre fils n'était ni dépressif ni suicidaire. Qu'est-ce qui a pu le pousser à faire ça, qu'est-ce qui peut motiver des jeunes à risquer leur vie ?

- Oh ! Vous savez, ces comportements ne sont, hélas, pas nouveaux. Ils remontent à très longtemps puisque les hommes ont toujours cherché à prouver leurs capacités physiques, leur courage et leur vaillance. Nous ne sommes pas loin des rites d'initiation pratiqués par certains peuples au moment de quitter l'enfance pour devenir « un homme ». A priori, dans nos civilisations, le passage à l'âge adulte ne requiert plus ces pratiques, abandonnées depuis longtemps. Mais les enfants sont souvent à la rechercher d'émotions, d'excitations, d'expériences nouvelles. Ils se battent, s'affrontent, se mesurent, se lancent des défis, sans penser aux conséquences. Malheureusement, entre ne pas vouloir faire du mal et l'accident, la frontière est si ténue, si fragile et invisible, que personne n'est capable de la maîtriser. Et tout le problème est là.

- Que se passera-t-il s'il s'en sort ?

- Si votre fils se remet bien, si vous craignez qu'il ne recommence, croyez-moi, il n'en aura plus l'envie. Il a été trop loin, et il s'en souviendra. Pour deux ou trois secondes d'euphorie, les souffrances qui suivent sont très chères à payer. Restez unis, parlez-en chaque fois qu'il en aura besoin, et surtout, parlez-en aux autres parents si vous en avez l'occasion.

Vaguement rassurés d'avoir appris que leur éducation

n'était pas en cause, qu'ils n'étaient pas les premiers à qui ça arrivait, ils rentrèrent tous les trois chez eux, sans avoir grand-chose à dire. Cependant, avant d'aller dormir, Amandine, qui pourtant ne priait pas, ressentit de façon urgente le besoin d'être aidée. Elle prononça ces petits mots magiques qu'elle avait déjà utilisés plus jeune :

- Agabatur Ruob Manipot

- Rutabaga, Topinambour, mon sang ne fait qu'un tour, je vole à ton secours ; et Malypense atterrit sur le couvre-lit en hochant la tête.

- Je crois savoir ce que tu vas me demander jeune fille

- S'il vous plaît, je vous en supplie, faites que mon frère revienne, faites qu'il s'en sorte.

- Amandine, nous avons déjà discuté de cela si mes souvenirs sont bons. Tu sais que nous n'avons aucun pouvoir de vie ou de mort sur les gens. Il y a deux choses que je peux te promettre : la première est que je ferais apparaître devant tes yeux une image de ton frère à l'hôpital, pour que tu voies tous les matins à ton réveil comme il se porte. La deuxième est que j'irais personnellement lui parler chaque nuit, si ça peut aider à maintenir son cerveau en activité. Mais là s'arrêtent mes pouvoirs.

- Merci, merci beaucoup, lui répond Amandine, consciente que c'est déjà énorme.

Et la sorcigentière tient parole. Le soir venu, quand l'hôpital semble endormi et que les infirmières de garde sont rassemblées dans leur local, elle va voir Michel. Elle lui caresse les mains et les pieds, faisant faire de l'exercice aux doigts comme aux orteils, pour que le sang circule bien ; et surtout elle lui parle. Un vrai moulin à paroles ! Elle lui dit comment ses parents l'aiment, et sa sœur, qu'il leur manque à tous, même à l'école, que ses « bourreaux » se sentent affreusement coupables, mais que ça leur fait les pieds car ils l'ont bien cherché, et que ce n'est pas une raison pour rester dans le coma, au contraire, il faut revenir bien vite, montrer à ses camarades combien ils sont stupides et inconscients, éviter que ça se renouvelle. Bref, tout ce qui lui passe par la tête. Et le matin, à son réveil, Amandine voit son frère étendu sur le lit dans la même position que la veille, et le petit écran qui montre que son cœur bat toujours.

Après 3 jours de coma, l'hôpital appelle les parents pour leur annoncer enfin une bonne nouvelle, leur fils s'est réveillé. Ils se précipitent pour aller le voir, mais ce qu'ils constatent les atterrent. Oui, Michel est en vie, mais il a du mal à parler, et le médecin qui les a rejoints les prévient :

- Il s'en est sorti, mais pas indemne. Pour l'instant, Michel n'arrive pas à marcher seul, il a des troubles de mémoire, et des difficultés à s'exprimer. Je ne pense pas que ce soit irréversible, mais il doit rester ici, en observation, et pour suivre des séances de rééducation.

La famille est partagée entre la joie de voir Michel en vie, et la peur qu'il reste handicapé à vie.

De retour à la maison, Amandine, qui réalise brutalement comme la vie peut être fragile, demande à sa mère de l'aider à rédiger un exposé. Elle veut que ses camarades comprennent ce qu'il s'est passé, leur éviter d'être tentés.

Elles passent alors plusieurs heures à composer un texte à la fois simple mais percutant. Le lendemain, Amandine va voir son professeur de français au début du cours pour lui montrer ce qu'elle a fait, et lui demander l'autorisation de le lire à toute la classe. Au courant des derniers évènements, elle approuve totalement l'initiative de son élève et demande l'attention de tous.

Il suffit de quelques phrases pour que la classe se taise. Le sujet est grave, les élèves le sentent bien. Et devant le visage bouleversé d'Amandine qui rassemble tout son courage pour ne pas pleurer, ils sont envahis d'émotions, attentifs comme jamais. Amandine aborde la conclusion de son pamphlet :

- Et tout ce que ces jeunes auront prouvé, croyant être plus forts que les autres, c'est qu'ils sont encore comme des petits enfants qui ont besoin de toucher la flamme d'une bougie pour croire que ça brûle et que ça fait mal. Grandir, ce n'est pas mettre sa vie en danger, c'est savoir profiter de l'expérience des adultes sans avoir à tester tout ce qu'ils nous racontent. C'est être capable de sentir le danger sans qu'on vous tienne la main, et savoir dire non aux provocations. Pour un jeu stupide, quelques secondes d'hallucination, une famille peut être brisée, une vie détruite. Ne vaut-il pas mieux être lâche et vivant que courageux et mort ?

Un tonnerre d'applaudissements vient ponctuer la fin du discours. Amandine part se rasseoir, et le professeur ouvre le débat pour appuyer ses propos. Dans la classe, si certains avaient entendu parler de ces pratiques dangereuses et parfois même tenté « leur chance », aucun n'avait conscience que les risques étaient mortels. Malypense, qui était présente tout ce temps, était émue elle aussi. Ah ! Si elle avait eu les bras assez longs, elle aurait bien fait un gros câlin à cette brave Amandine. A défaut, elle lui murmure à l'oreille qu'il lui faut être encore patiente, mais que tout ira bien, puis elle lui pose un gros baiser sur le front et s'envole.

La famille mit longtemps à s'en remettre. Mais Michel faisait des progrès tous les jours. S'il savait marcher tout seul à nouveau, et parler presque normalement, il avait toutefois des absences et de soudaines migraines violentes mais courtes. Quand sa guérison parut enfin certaine, et la détresse derrière eux, Stéphanie et Daniel, qui n'avaient pas oublié les conseils de la psychiatre, fondèrent une Association pour lutter contre l'expansion de ce phénomène, pour aider d'autres parents de victimes, faire circuler l'information et essayer de prévenir, avant qu'il ne soit trop tard.

Quant aux trois garçons, Malypense fit en sorte que ce « presque » homicide involontaire leur pèse sur la conscience, afin que jamais, au grand jamais, ils ne soient tentés de jouer à nouveau avec leur vie … ou celle des autres.

Radio ragots = Radio bobos

 Sam et Tom Granger ont quitté la grande ville pour avoir leur propre ferme dans un état du centre des Etats-Unis. Ils en rêvaient depuis des années, voulaient élever leurs filles dans un environnement plus sain et moins dangereux, avoir leur affaire et pouvoir travailler ensemble. Aussi, quand ils trouvèrent dans la petite bourgade de Blackrock une exploitation de taille raisonnable et abordable, ce fut dans l'euphorie qu'ils passèrent l'été à déménager et s'installer dans leur nouvelle maison. Tom pensait pouvoir s'occuper seul des quelques hectares de maïs et du bétail. Samantha, infirmière de profession, assurerait un revenu fixe dans un premier temps, grâce au travail qu'elle avait trouvé dans l'école primaire de leurs deux filles, Nancy et Jessica.

Les débuts furent difficiles. Il fallut un peu de temps pour s'adapter à un nouveau rythme, faire quelques améliorations dans le corps de ferme, et pour les deux sœurs, s'intégrer dans leur nouvelle école et se faire des amis. Il est vrai qu'ils ne connaissaient personne, mais ils avaient pris le soin de se présenter chez leurs plus proches voisins, les McKenzie, qui occupaient la seule ferme visible de leur propriété, à moins d'un kilomètre. Samantha eut le plus de difficultés. Grande et naturellement distante, elle intimidait facilement, était souvent perçue comme froide et prétentieuse, ce qu'elle n'était pas. Mais elle se dit qu'elle ferait ses preuves et que petit à petit les gens lui feraient confiance.

Le début de l'année scolaire se passa sans incident majeur, juste les maux de ventre et bobos habituels. Par contre, on n'était qu'au mois de novembre et elle avait déjà vu treize fois le petit Jimmy, âgé de sept ans, et pour lequel elle s'inquiétait. Quand ce n'était pas suite à des bagarres avec ses petits camarades, il venait la voir pour des migraines ou parce qu'il était fatigué, car il disait faire beaucoup de cauchemars et dormir mal. A force de le questionner, Samantha en apprit un peu plus long sur son contexte familial. Sa mère n'avait que vingt-quatre ans, ce qui voulait dire qu'elle avait eu son enfant vers les seize ou dix-sept ans, et son père avait disparu de la circulation avant sa naissance. Depuis, Theresa vivait de petits boulots peu valorisants puisqu'elle n'avait même pas terminé le lycée, et beaucoup d'hommes avaient défilé au domicile familial. Pour la première fois, cela faisait plus d'un an qu'elle occupait la même place, serveuse dans un petit restaurant routier. Mais sa vie sentimentale était toujours aussi chaotique. Tout ceci expliquait le comportement de Jimmy, agressif, provocateur, sournois, et sans aucun respect pour les adultes. Samantha avait le plus grand mal à contenir son calme quand il venait la voir et en profitait pour l'insulter au lieu d'apprécier ses soins. Mais elle savait qu'il était mal dans sa peau.

Un jour cependant, il arriva à l'infirmerie tordu de douleurs au niveau du ventre. Samantha qui pensait à une crise d'appendicite aiguë, appela sa mère pour qu'elle vienne le chercher en urgence, mais celle-ci lui répondit :

- Ouais ? Bah ! Faudra qu'il attende dix-sept heures trente parce que j'peux pas quitter mon travail comme ça. De toute façon, ça doit être une de ces comédies habituelles, je le connais, le temps que j'arrive et ce sera fini.

- Je ne pense pas Madame, essaya de lui dire Samantha, ça m'a l'air sérieux.

- Qu'est-ce que vous y connaissez hein ? Vous êtes pas sa mère que je sache ?

Interloquée, Samantha ne trouva rien à répondre, et se contenta de donner un sédatif à Jimmy, et de l'installer dans le seul lit dont elle disposait, avec une couverture bien chaude autour de lui. Elle rumina les deux heures suivantes le savon qu'elle comptait passer à sa mère. Enfin quoi, c'était proprement inadmissible de laisser un enfant dans cet état ! Theresa arriva en fait bien après dix-huit heures, débraillée et fardée comme une peinture abstraite, mastiquant un chewing-gum la bouche ouverte.

- Alors, il est où ce môme que j'le ramène chez lui ?

- Il est allongé, je lui ai donné un calmant, mais je crois qu'il faut le faire examiner à l'hôpital, lui dit Samantha.

- A l'hôpital ! Et c'est vous qu'allez payer peut-être ?

- Madame Flannagan, vous devriez vous occuper un peu plus de votre fils, il a de réels problèmes que cette petite infirmerie ne peut pas prendre en charge.

- D'abord mon nom c'est Theresa. Madame j'ai horreur de

ça, c'est bon pour les vieilles ! Et puis mêlez-vous de vos affaires, vous êtes qui pour me donner des leçons hein ?

Samantha, qui sentait la colère monter, déclara :

- Theresa, je vous préviens, si Jimmy vient encore une fois dans mon cabinet sans avoir été soigné, je vais être obligée de le signaler à la Direction de cette école et aux Services Sociaux.

- C'est ça oui, cause toujours ! Ça a un petit certificat d'infirmière et ça se prend pour un docteur doublé d'un avocat !

Et là-dessus, elle tira son fils hors du lit, qui pour une fois ne pipait mot, et partit avec lui non sans claquer la porte derrière elle.

Quand Samantha rentra à la ferme ce soir-là, elle était encore énervée par cet incident, scandalisée par l'attitude de la mère et révoltée de ne pouvoir rien faire de concret pour changer la situation. Le week-end se passa tranquillement à s'occuper des bêtes et à jardiner avec ses filles les légumes qu'elle faisait pousser pour leur consommation personnelle. C'était une activité nouvelle pour elle, qui la détendait bien. Aussi, commença-t-elle la semaine suivante reposée, en ayant presque oublié Theresa et son fils. Malheureusement, l'inverse n'était pas vrai, et la mère de Jimmy avait concocté ces deux derniers jours un horrible plan pour rabattre le caquet de cette pédante citadine qui se croyait mieux que tout le monde. Elle avait même appelé ses meilleures copines, Velma et Suzy, aussi futées et distinguées qu'elle, pour leur demander de l'aider dans ses manigances. Leur complot mis au point, elles se quittèrent plus complices que jamais.

Le Lundi soir, le drame se mit en place. Samantha était à peine rentrée qu'on sonna à la porte. Etonnée car elle n'attendait personne, elle se retrouva nez à nez avec deux policiers en uniforme, munis d'un mandat d'arrêt qu'elle eut à peine le temps de lire. Elle était accusée par Madame Flannagan, d'abus physique sur son fils Jimmy. Elle n'en croyait pas ses yeux, se laissa menotter sans réagir, entendit les policiers lui lire ses droits, quand tout à coup elle trouva la force de crier :

- Tom, Tom ! Ils veulent m'emmener, viens m'aider, je t'en prie !

Tom qui avait vu de son champs la voiture du shérif se garer devant chez eux, avait sauté hors du tracteur et courait le plus vite possible. Arrivé juste à temps pour voir son épouse poussée de force à l'intérieur du véhicule, affolé, il demande des explications aux forces de l'ordre. Mais ils sont bougons, pressés, et lui répondent vertement que Samantha est accusée de mauvais traitement sur un enfant. Celle-ci peut tout juste lui crier par la fenêtre « Appelle Rick », la voiture démarre en trombe et disparaît dans la poussière.

Rick est le plus jeune frère de Samantha, avocat confirmé depuis deux ans maintenant. Le temps de dispatcher les affaires courantes à ses confrères, il lui faut deux jours avant de pouvoir venir défendre sa sœur. La situation s'est dégradée en un temps record. Velma et Suzy sont allées au poste pour déclarer que leurs enfants avaient aussi été victimes des maltraitances de Samantha. Elles y vont de leurs petites larmes, déclarent avoir longuement questionné l'une sa fille et l'autre son fils, avant qu'ils puissent 'braver la honte' et raconter 'les horreurs subies'. Samantha est déjà en prison, et pour la libérer avant le procès qui n'aura lieu que dans onze semaines, le juge demande une caution de 50.000$, un montant exorbitant. Or Tom et Samantha ont mis toutes leurs économies dans la ferme de leurs rêves, et n'ont plus un sou de côté. Durant la messe dominicale, la nouvelle se propage comme une traînée de poudre, 'Radio Ragots' fonctionne à plein régime. Chaque 'bien-pensant' y va de son commentaire. L'accusation de départ est déformée, amplifiée, et des adultes qui n'ont absolument rien à lui reprocher se servent de souvenirs anodins pour les tourner à leur avantage et détruire encore plus sa réputation. Diabolisée par ceux qui se repaissent de racontars comme les hyènes dévorent des charognes, Samantha devient l'ennemi public numéro un dans ce petit village qui manquait visiblement d'excitation !

Pour Tom, c'est le début d'un cauchemar. Il perd ses acheteurs les uns après les autres, comme si la viande et le lait de la ferme étaient contaminés par un virus mortel. Pendant que Rick mène son enquête auprès des intéressés, les commerçants et les professeurs de l'école primaire, il s'occupe activement de vendre la ferme, il sait qu'ils ne pourront plus vivre ici. Les filles sont effondrées. A l'école, elles sont montrées du doigt. Personne ne veut plus jouer avec elles, ni leur parler, quand elles ne sont pas l'objet d'insultes ou la cible de cailloux, lancés par les plus hargneux.

- Va-t'en, t'es qu'une délinquante ! s'entend dire Nancy un jour qu'elle cherchait la compagnie d'une camarade de classe.

- Mais je t'ai rien fait, s'exclame-t-elle au bord des larmes.

- Et alors, les chiens font pas des chats !

Ah ! Ces mots d'adultes qui sont comme autant de coups de poignards dans le dos, ces langues de vipères qui calomnient parce qu'elles n'ont rien d'autre à se mettre sous la dent ! …. Pendant ce temps, en cellule, leur mère est confrontée au pire. Entourée de vraies criminelles, elle est humiliée par les unes, insultée par les autres, et subit un véritable passage à tabac par les plus dures d'entre elles. Mais quand vient le jour de la visite hebdomadaire, elle ne se plaint pas, prétend qu'elle est tombée pour expliquer ses blessures, mais ne dit rien de ses conditions de vie. Le temps de parole pour tous les quatre est si court et si précieux !

Puis un jour, Ron et Julia McKenzie viennent offrir leur aide. Leur première impression de cette petite famille citadine se battant pour réussir à la campagne avait été plutôt positive. Le temps de réaliser qui étaient les plaignants dans cette affaire, des mères peu crédibles aux enfants mal élevés, ils se dirent que toute cette histoire ne tenait pas debout. Alors

Ron vint donner un coup de main à Tom aussi souvent que possible, pendant que Julia gardait les petites avec ses enfants. Jordan l'aînée, était devenue l'amie inséparable de Jessica. Un jour, peinée de la voir pleurer elle lui souffla à l'oreille :

- Je crois que j'ai un secret pour pouvoir t'aider, mais il ne faudra le dire à personne.

- C'est pas difficile, lui répond Jessica en reniflant, tu es ma seule amie

Jordan lui parle des sorcigentières, dont elle n'a jamais utilisé les services d'ailleurs, mais elle se dit que ça ne peut pas faire du mal d'essayer. Sceptique, Jessica la voit se concentrer puis murmurer :

- Agabatur, Ruob Manipot

Aussitôt dit, aussitôt fait, Ficelle, une jeune et nouvelle sorcigentière, se perche sur l'épaule de son amie et déclame :

- Rutabaga, Topinambour, mon sang ne fait qu'un tour, je vole à ton secours

Les deux amies ont du mal à réaliser ce qui leur arrive, et puis tout à coup elles se lancent, racontent toute l'histoire depuis le début, assommant Ficelle de détails qu'il lui faut trier.

- Jeunes filles, l'une après l'autre s'il vous plaît, sinon je ne vais pas m'en sortir

Alors Jessica reprend plus calmement, et termine son récit avec cette prière :

- Madame Ficelle, je vous en supplie, faites que ma Maman

revienne à la maison.

- C'est tout ? s'étonne Ficelle, révoltée par ce qu'elle vient d'entendre.

- Mais si Maman est de retour, tout ira comme avant, lui dit Jessica qui ne réalise pas la candeur de sa requête.

Jordan, vive d'esprit, a vite saisi. Elle ajoute :

- Que sa mère soit innocentée, et que Theresa et toutes les autres soit punies pour leurs mensonges, et que la honte retombe sur cette ville, et que les Granger puissent garder leur ferme, et qu'on soit amies pour toujours, et que...

- Stop, stop Jordan, cette fois-ci ça ira, il y en a même un peu trop, je ne suis pas sûre de pouvoir tout faire. En tout cas, je vous promets que le procès se passera bien, et que Samantha pourra bientôt rentrer chez elle. Et sur ces bonnes paroles encourageantes, elle s'envole toute émoustillée par cette nouvelle mission à accomplir.

En effet, Rick réussit à faire du bon travail. Il avait trouvé une pédopsychiatre qui avait examiné soigneusement Jimmy et rapidement conclu qu'il était perturbé et affabulateur. La version de sa 'terrible épreuve' avec Samantha changeait sans cesse. Une fois elle lui avait demandé de baisser son pantalon alors qu'il avait mal au poignet gauche ; une autre fois elle l'avait giflée puis lui avait retiré ses vêtements. Et lors des interrogatoires, il bafouillait dès qu'il fallait donner des précisions, prétendant avoir tout oublié.

- Je sais plus moi, après tout vous avez qu'à demander à ma

mère.

- Mais Jimmy, c'est à toi que c'est arrivé, pas à ta mère ! Qui mieux que toi pourrait raconter ce qu'il s'est vraiment passé ! Jimmy rougissait, baissait les yeux et se murait dans son silence.

Puis Rick travailla les deux autres prétendues victimes et leurs mères. Avec Suzy, ce fut facile, elle était clairement fragile et instable. En revenant à la charge tous les jours sous prétexte qu'il y avait des détails à combler, il réussit à la faire craquer et avouer qu'elle avait obligé son fils à mentir pour aider son amie.

- Mais même s'il ne lui est rien arrivé, ça pourrait être le cas un jour, lui dit-elle sans ciller, alors il vaut mieux l'empêcher maintenant de nuire davantage, vous croyez pas ?

Rick était atterré. Ah ! Elle est belle la présomption d'innocence quand une population décide sans procès de faire justice elle-même ! Ce que les gens pouvaient être désespérants parfois !

Velma par contre était coriace. D'esprit retors, ravie d'être sous la lumière des projecteurs et qu'on parle d'elle dans les journaux, elle en disait juste assez pour qu'on la croie, sans broder ni s'embrouiller. Et comme son gamin était timide et introverti, elle apportait toutes les réponses. Jusqu'à ce qu'un jour, pris d'une soudaine intuition, Rick lui demande de décrire l'infirmerie telle qu'elle l'avait vue le jour où elle était venue chercher son fils, disait-elle, après un étourdissement. Velma, prise au piège, fit l'inventaire d'une pièce qu'elle n'avait jamais vue – et pour cause, son fils n'ayant pas été malade depuis la rentrée – en priant pour que l'avocat ne se rende compte de rien. Celui-ci, qui connaissait les lieux, fit semblant de la croire, trop content d'avoir trouvé la faille à exploiter au tribunal. Entre temps, Ron et Julia se montraient de vrais amis. Ils vinrent même plusieurs fois en prison voir Samantha et lui remonter le moral. Et plus ils passaient de temps avec les Granger, plus ils étaient convaincus de l'innocence de l'infirmière. Ils promirent alors à Tom de venir témoigner au procès.

Le grand jour arrive enfin ! Rick s'avère brillant. Avec la fougue de sa jeunesse, il désarme un à un les témoins de l'accusation, y compris Velma qui, fonçant tête baissée dans sa description de l'infirmerie, s'aperçoit trop tard de son erreur, quand l'avocat met à la disposition des jurés une photo du local en question. La pédopsychiatre s'y prend aussi très bien avec les enfants, elle arrive même à faire rire les membres du jury et à s'attirer leur sympathie. Julia fait également une forte impression quand elle vient témoigner à la barre, racontant le courage du père, l'amour des filles pour leur mère, les lettres qu'elles reçoivent d'elle tous les jours. Quand vient le plaidoyer de la défense, Rick, sans nommer personne, lance une violente accusation contre les dangers des racontars et commérages qui se glissent dans la tête de chacun pour fausser leur jugement, qui tordent le cou à la vérité, et font autant de dégâts que si l'eau de la ville avait été empoisonnée. Dans la salle, il y en a plus d'un qui baisse la tête. Quelques heures plus tard, la grande majorité des jurés déclare Samantha non coupable. Les trois protagonistes de l'affaire sont à leur tour accusées de diffamation, faux témoignage, parjure et entrave à la justice. Elles seront condamnées à verser quinze mille dollars chacune à la famille Granger, pour préjudices subis. Samantha libérée, Tom vient l'étreindre longuement, les filles accrochées autour d'elle comme si elle allait s'envoler. Ils sont si épuisés qu'ils n'ont même pas le courage de fêter l'événement. Onze semaines ont fait des ravages irréparables. Alors, après avoir bordé ensemble Nancy et Jessica, pour la première fois depuis si longtemps, ils passent la nuit à discuter de la prochaine étape. Leur rêve brisé, ils n'ont qu'une idée en tête, quitter cette maudite bourgade le plus vite possible, partir loin où personne ne les connaît. Eux qui pestaient contre l'anonymat des grandes villes, n'aspirent qu'à y replonger et s'y cacher comme sous les bulles d'un bain moussant. Mais leurs finances sont au plus mal. Ils savent que les indemnités mettront des années à leur parvenir, et qu'ils vont devoir tout recommencer à zéro. Pourtant, ils ne manquent de courage ni l'un ni l'autre, car si Blackrock a détruit leur projet, leur famille est restée intacte, unie comme au premier jour. Après leur départ, dans le journal local, on pouvait voir un article dont le gros titre resterait longtemps dans la mémoire des habitants : « Triste record d'hospitalité pour Blackrock : une famille répudiée en moins de cinq mois ! »

Une chaîne de cœurs

Décidément, Soraya n'avait pas de chance. Née au mauvais moment au mauvais endroit, elle n'avait connu depuis son enfance que les bruits de la guerre, la misère et la désolation. A six ans, son grand frère Farzam en avait huit, elle avait perdu ses parents victimes malencontreuses d'un attentat alors qu'ils étaient à Kaboul pour essayer d'acheter un peu de marchandises. Leur oncle Omeed, frère de leur mère, les avait recueillis tous les deux dans son petit village près de Kaboul. Il était artisan et avait une échoppe pour vendre des tapis confectionnés par cinq paires de mains habiles, de toutes jeunes femmes qui s'estimaient heureuses d'avoir un travail. Mais l'époque n'étant pas vraiment aux frivolités, les acheteurs se faisaient rares, et deux bouches à nourrir en plus tombaient très mal. D'autant que Farzam n'avait qu'une idée en tête depuis qu'il était orphelin, celle de rejoindre les soldats pour venger la mort de ses parents. Il passait des journées entières à jouer à la guerre, parcourant les rues à la recherche de tout ce qui ressemblait de près ou de loin à une arme, pour se sentir plus fort, plus grand. C'est ainsi qu'un jour, alors que sa sœur l'accompagnait, il aperçut une grenade, se précipita pour la ramasser, et disparu pour toujours dans une épouvantable explosion et un nuage de poussière, laissant sa sœur inanimée sur le chemin. Ce sont

des proches d'Omeed qui l'ont trouvée. Effrayés par son visage couvert de sang, ils l'avaient emmenée dans leur modeste demeure, et c'est en la nettoyant délicatement qu'ils la reconnurent. La pauvre petite se rappelait son nom et son oncle, mais rien de ce qui était arrivé, et elle réclamait son frère sans avoir compris qu'il ne faisait plus partie de ce monde. Elle-même n'était pas sortie indemne de l'accident : quand la mine sur laquelle avait marché Farzam avait éclaté, son œil droit avait été irrémédiablement atteint. Son visage était défiguré, elle souffrait de partout. Quand Omeed vint la récupérer, prévenu par le couple, il se mit à pleurer en la voyant. Il appela un médecin pour la faire examiner, lui prodigua les soins nécessaires durant les semaines suivantes, puis lui expliqua pour son frère. Si son malheur était bien grand, les plaies multiples n'étaient pas trop graves, il fallait juste veiller à ce qu'elles ne s'infectent pas et bien les nettoyer deux fois par jour. Tout de même se dit Omeed, je n'avais vraiment pas besoin de ça ! S'il aimait sa nièce et son neveu, il avait abandonné depuis longtemps l'idée que Farzam puisse l'aider dans ses affaires, trop rebelle et indiscipliné, mais comptait bien faire travailler Soraya et la marier le plus vite possible pour qu'elle ne soit plus à sa charge. Alors pensez, avec un visage tout abîmé, un œil en moins, qui pourrait vouloir d'elle à présent ?! Omeed n'avait pas d'enfant. Lui aussi avait perdu sa femme, emportée peu de temps après leur mariage par cette guerre qui n'en finissait pas. Existait-il encore une famille dans ce pays, qui n'avait pas perdu un proche ? Soraya sentait qu'elle était un souci pour son oncle, et s'en voulait terriblement. Alors, dès qu'elle fut sur pieds, elle fit tout ce qu'elle pouvait pour se rendre utile. Elle briquait le sol de la maison tous les jours, à grands coups de serpillière, faisait à manger, la vaisselle, la couture, ramassait le bois pour le feu, veillait à ce qu'il y ait toujours de l'eau potable en quantité suffisante. Mais elle refusait d'aller faire les courses. Elle avait trop peur de se montrer au milieu de la foule, craignait la pitié et la compassion, et préférait se terrer chez son oncle. Et tous les jours, elle faisait sa prière, demandant modestement à ce que demain existe, sans savoir vraiment pourquoi d'ailleurs puisque la vie ne l'avait pas gâtée. Une chose pourtant la tracassait énormément. Depuis son accident, elle avait remarqué que son œil gauche avait faibli. Elle voyait moins bien, il était vite fatigué. Si elle s'était bien gardée d'en parler à son oncle, elle était terriblement inquiète, et demandait toujours dans ses prières à ne pas perdre totalement la vue.

Un jour, parce que sa ferveur religieuse avait ému Bisbille qui faisait le tour de la région, elle se retrouva nez à nez avec celle-ci qui apparut au bout de son balai sans crier gare.

Une fois remise de sa peur, elle réussit à l'écouter, non sans trembler :

- Soraya, va voir ta tante Anoosheh, et parle-lui de la Chaîne de l'Espoir, lui dit Bisbille.

- Qu'est-ce que c'est la Chaîne de l'Espoir ? demanda Soraya

- Va la voir, elle t'expliquera

- Mais c'est qu'elle habite loin d'ici, je ne peux pas aller à

Kaboul toute seule ! s'exclama la petite fille
- A toi de convaincre ton oncle d'y aller, tu ne le regretteras pas, c'est promis.
Et elle disparut dans un nuage de fumée.
Il fallut à Soraya plusieurs jours pour digérer tout ça, une sorcigentière, un voyage à Kaboul, la Chaîne de l'Espoir. Tout était confus dans sa tête, et elle était bien trop timide pour demander quoi que ce soit à son oncle, surtout un service, et sans explication en plus. Mais le temps joua en sa faveur. Un matin, Omeed vint la voir pour lui annoncer qu'il devait aller à Kaboul acheter des colorants pour tapis. Il lui demanda si elle souhaitait l'accompagner pour se changer les idées. Soraya sauta sur l'occasion pour lui dire que sa tante lui manquait beaucoup, s'il voulait bien la laisser chez Anoosheh le temps de ses courses. Omeed n'y voyant aucun inconvénient, ils partirent tous les deux dans la vieille voiture poussive et cabossée qui lui servait depuis des années.
Après de longues et tendres embrassades chez Anoosheh, veuve aussi mais avec trois enfants bien plus jeunes qu'elle, Soraya lui posa la question qui lui brûlait les lèvres :
- Ma tante, connais-tu la Chaîne de l'Espoir ?
- Si je connais la Chaîne de l'Espoir ? Et comment chère petite ! C'est elle qui a sauvé Sohair, mon petit dernier.
- Comment ça ? demanda Soraya
- Et bien vois-tu, Sohair avait une malformation cardiaque, et c'est la Chaîne de l'Espoir* qui lui a réparé son cœur.
La tante Anoosheh lui expliqua qu'il s'agissait d'une

association française, composée d'une équipe de médecins spécialisés, qui prenaient en charge des enfants défavorisés atteints de maladie grave, les emmenaient en France, les soignaient et les plaçaient dans une famille d'accueil le temps de leur convalescence, pour ensuite les rendre à leur famille.

Soraya n'en croyait pas ses oreilles.

- Mais ça doit coûter horriblement cher ma tante, comment as-tu fait ?

- Ce sont tous des bénévoles petite fille, ils sont dévoués et généreux, et ne font pas ça pour gagner de l'argent mais pour aider.

- Et, et tu crois qu'ils pourraient faire quelque chose pour mon œil ? demanda Soraya

Anoosheh avait entendu parler de l'accident mais ignorait tout de ses conséquences récentes. Sa nièce lui ayant fait part de ses craintes de devenir aveugle, Anoosheh lui dit :

- Ecoute mon petit, il faut toujours tout essayer. Le pire que tu risques c'est qu'on ne te prenne pas. Mais ne va pas t'imaginer que tout est gagné pour autant. Je ne voudrais pas que tu t'emballes pour rien et que tu sois déçue.

- Non ma Tante, répondit Soraya, pensant à tous ces enfants qui avaient aussi besoin de soins. Quand ton oncle viendra te rechercher tout à l'heure, je lui en parlerais.

Effectivement, en fin d'après-midi, quand Omeed arriva, Anoosheh l'emmena dans la cuisine et ils se mirent à discuter longtemps à voix basse. Soraya avait beau tendre l'oreille aussi fort qu'elle pouvait, elle n'entendait pas assez bien pour se faire une idée. Mais à travers la porte vitrée, elle pouvait voir les sourcils d'Omeed se froncer et le pli qui les sépare se creuser davantage. Ce n'était pas bon signe. Après quarante-cinq minutes d'une attente qui pesait comme un siècle, ils sortirent tous les deux de la cuisine. Omeed ouvrit ses bras en grand pour serrer Soraya contre lui.

- Petite brindille – il l'avait toujours appelée ainsi dans ses bons jours – je pense que ça vaut la peine de suivre les suggestions de ta tante. Nous allons tout faire pour t'envoyer à Paris.

Soraya, de surprise et d'émotions, n'eut pas le temps de crier sa joie qu'elle tomba évanouie dans le salon.

De là, les choses allèrent très vite. Anoosheh l'hébergea le temps des démarches qu'elle mena rondement. Elle alla voir les personnes qualifiées, et obtint gain de cause auprès des représentants de l'Association Humanitaire : ils acceptaient que Soraya se joigne aux quatre autres enfants qu'ils devaient aider en urgence. Le départ avait lieu le lendemain. Omeed, Anoosheh et ses enfants étaient à l'aéroport avec Soraya. Quand il fut temps de se dire au revoir, Omeed lui dit :

- Ne reviens pas Soraya, reste là-bas, saisis ta chance et ne remets pas tes pieds dans ce maudit pays

A ces mots, elle qui avait réussi à faire bonne figure jusque-là, s'effondra en pleurs.

- Tu ne veux plus de moi, c'est ça ?

- Non brindille, c'est pour toi que je dis ça, il n'y a aucun avenir ici

Soraya n'eut pas le temps de réagir, il fallait partir. Alors elle saisit son maigre bagage qui contenait tous ses effets personnels, c'est à dire pas grand-chose, agita la main plusieurs fois en montant la rampe, et disparu, happée dans le ventre de l'avion. Prise dans le tourbillon des nouveautés, impressionnée par tout ce qui l'entourait, Soraya ne vit pas le voyage passer. Il faut dire qu'entre les autres petits candidats et l'équipe de bord, ils avaient beaucoup parlé et beaucoup ri.

A Roissy, elle était attendue par sa famille d'accueil, qui prit aussitôt la relève. Stéphane, Maud, et leurs enfants Fadette et Cyril de 13 et 15 ans, n'en étaient pas à leur première expérience. Ils avaient déjà entouré de leurs soins et de leur affection, Yakou, un petit Sénégalais qui avait une déficience cardiaque, et Sovandara, une Thaïlandaise brûlée gravement dans un incendie.

Soraya se sentit tout de suite à l'aise avec eux. La communication se faisait maladroitement en anglais, seule langue commune à tous sans qu'aucun ne soit réellement bilingue, mais avec les mains et des croquis, ils arrivaient à se comprendre. Par contre, elle refusait obstinément de coucher dans un lit, cette chose étrange qu'elle n'avait jamais connue et qui lui faisait penser à une boîte. Alors on avait mis le matelas à même le sol de sa chambre, et elle dormait comme jamais elle n'avait dormi. Eblouie par la quantité de jouets de Fadette et Cyril, fascinée par la Télévision, ce qui la laissait le plus perplexe était la machine à laver le linge qui faisait tout ce qu'elle avait toujours accompli à la main. Quant au fait que Fadette n'était pas tenue de faire les corvées dans la maison et allait en plus à l'école, cela dépassait son entendement. Un luxe inouï et inimaginable pour notre petite Afghane !

Soraya fut rapidement hospitalisée, et son opération dura de longues heures. A son réveil, en voulant tâter ses joues délicatement car tout lui faisait mal, elle ne comprit pas pourquoi sa tête était entièrement emmaillotée. Maud, qui la veillait depuis son retour dans sa chambre, lui prit la main et lui expliqua que les chirurgiens avaient saisi l'occasion pour lui remodeler son visage, lui rendre figure humaine, grâce à des greffes de peau. Certes, il lui manquerait toujours la vision de l'œil droit, mais le gauche devrait se retrouver comme neuf.

Soraya avait du mal à réaliser, elle ne savait plus qui remercier tellement elle se sentait privilégiée. Plusieurs semaines de convalescence furent nécessaires. Maud, pendant que ses enfants étaient à l'école, lui apprit à lire et à écrire. Elle se débrouillait très bien avec le Français. Soraya commençait à comprendre pourquoi son oncle lui avait dit « pars et ne reviens pas ». C'est vrai que la vie en France n'avait rien à voir avec ce qu'elle connaissait depuis toujours. Mais elle se rendait bien compte que son séjour était provisoire, qu'il fallait laisser la place à d'autres enfants. De toute façon, sa loyauté et sa gratitude lui auraient interdit de ne pas rentrer au pays.

Vint le jour où les médecins devaient lui retirer ses

pansements. Elle en tremblait d'avance. Elle avait si peur d'être déçue. Heureusement, Maud l'accompagnait. Une fois débarrassée de ses bandages, elle se regarda dans la glace, et là, sans un mot ni même un petit cri, elle se mit à pleurer en silence, abasourdie devant son nouveau visage. Oh ! N'allez pas croire qu'elle était d'une beauté resplendissante, mais elle avait retrouvé un aspect normal et ne manquait pas de charme, malgré les cicatrices qui se voyaient encore. Le chirurgien était content de lui. Ses premiers mots furent :

- Pas de doute Soraya, tôt ou tard tu séduiras un jeune homme qui n'aura pas la moindre idée de ce qui t'est arrivé si tu ne lui racontes pas.

- Est-ce que tu vas t'aimer comme il faut maintenant ? demanda Maud en lui serrant la main.

- Oui ma Tante, répondit-elle car elle était vraiment comme une tante pour elle. Et je vais enfin pouvoir faire les courses au marché, si tu savais comme ça m'a manqué !

La dernière semaine passa très vite, Soraya était prête à rentrer chez elle. La famille Douny au grand complet l'accompagna bien sûr à l'aéroport, non sans pincements au cœur, car ils s'étaient déjà attachés à elle, si douce, si calme et ne se plaignant jamais. Ils se sentaient tous dépouillés quand l'avion prit son envol. Quelques heures plus tard, elle retrouva Anoosheh et Omeed qui l'attendaient, et ne l'avaient pas reconnu parmi les passagers sortant de l'avion. Ils la serrèrent longtemps contre leur cœur, même Omeed lui dit combien il était content de la revoir, qu'il avait eu peur qu'elle prenne ses paroles au sérieux et ne revienne pas. Et

sa tante s'émerveilla de sa nouvelle apparence. Ils passèrent la journée ensemble à Kaboul, et Soraya était intarissable. Elle leur raconta tout son périple en détails, la famille Douny, l'hôpital, Paris, la France, il n'y avait plus moyen de l'arrêter. Puis quand elle eut fini, elle déclara :
- Maintenant je vais pouvoir t'aider mon oncle, je serais capable de faire des tapis, tu verras, je ne serais plus un poids mort.

Effectivement, Soraya se mit aux métiers à tisser, et s'avéra très inventive au niveau des motifs et des couleurs. Chaque semaine, elle écrivait une longue lettre à sa famille française, les abreuvant de détails sur sa vie et son travail. Et elle attendait avec impatience leurs réponses toutes aussi régulières. Ce lien très fort qui les avait unis et continuait à distance lui donnait l'impression d'avoir un billet de retour pour la France. Avec l'accord de son oncle, elle confectionna un magnifique tapis de prière pour ces amis lointains auxquels ils devaient tant. Elle avait réalisé de belles arabesques dans les tons bordeau et bleu gris, et une bordure de remerciements en arabe tout autour du tapis. Et Omeed, très fier de sa nièce et très heureux tout compte fait de sa présence, se chargea de confier à la poste son précieux paquet.

* La Chaîne de l'Espoir est une Association Humanitaire Française fondée en 1988 par le Professeur A. Deloche, qui compte de nombreux spécialistes du monde médico-chirurgical. Sa vocation est de sauver des enfants malades, condamnés faute de soins adaptés dans leur pays, alors que notre pays peut leur rendre une vie normale.

Pour contacter l'auteure :

isabel.meeks@gmail.com

Merci à fr.freepik.com pour toutes les illustrations